Jörg Zink

Das Vaterunser

Das Gebet, in dem alles gesagt ist

VERLAG KATHOLISCHES BIBELWERK Stuttgart
ARS LITURGICA BUCH- & KUNSTVERLAG Maria Laach

Quellenverzeichnis

S. 37, 106 aus: Dag Hammarskjöld, Zeichen am Weg. © Verlag Urachhaus 2011; S. 40 f. © Manfred Ach; S. 50 f. aus: Rudolf Otto Wiemer, Ernstfall „Entwurf für ein Osterlied" © J.F. Steinkopf Verlag Kiel; S. 78 aus: Luise Rinser, Septembertag. © S.Fischer Verlag GmbH, Frankfurt am Main 1964; S. 106 aus: Marie Noël, Erfahrungen mit Gott. Aus dem Französischen von Franziska Knapp © Matthias-Grünewald-Verlag, Mainz 2005; S. 107 aus: Gesamtwerk Wiechert © LangenMüller in der F.A. Herbig Verlagsbuchhandlung GmbH, München.

Erstmalig unter dem gleichnamigen Titel erschienen 2005 im Kreuz Verlag.

Umschlag: Finken & Bumiller, Stuttgart
Umschlagabbildung: © Manfred Kremers/pixelio.de
Satz: Olschewski Medien GmbH Stuttgart
Druck und Bindung: Made in Europe.

ISBN 978-3-460-**23204**-4 (VERLAG KATHOLISCHES BIBELWERK)
www.bibelwerk.de

ISBN 978-3-86534- **126**-6 (ARS LITURGICA BUCH- & KUNSTVERLAG, Maria Laach)
www.maria-laach.de

INHALT

Weit werden

Wie alle großen Gedanken, die wir Menschen einander weitergeben können, ist das Gebet, das Jesus uns gegeben hat, beides zugleich: Es ist einfach. Einfach sind die Worte. Einfach ist das Gefälle der wenigen Sätze. Und es ist unergründlich in seiner Tiefe. Ein Leben reicht nicht aus, es bis auf seinen Grund zu durchdringen. Eine erlesene Kostbarkeit: das Vaterunser.

Es ist wie eine weite, offene Landschaft, in der die Gedanken vor unserem Auge erscheinen, die von ungezählten Generationen auf dieser Erde gedacht und sich in den Bildern ihrer Seele gespiegelt haben, mit vielen Gestalten und Farben. Es ist wie eine lange Straße, auf der wir unsere ersten Schritte setzen und die uns aus uns hinausführt in das weite, offene Leben und über diese Welt hinaus in die Unendlichkeit. Eine randlos große Welt spiegelt sich in ihr. Aber zugleich kommt Gott in ihr so nahe, dass wir sie ohne Angst betreten können. Sie wird heimatlich. Wer es spricht, das Vaterunser, sagt damit: Es ist gut, zu sein. Es ist alles gut, wie es ist. Denn es ist von einem freundlichen Gott so gewollt und bestimmt.

Wer es nachspricht, sagt damit: Ich lebe in Gott. Ich bin mit meinen Gedanken und Empfindungen zu Hause in Gott. Ich brauche mich nicht erst in langen Übungen zu sammeln, um allmählich an den Punkt zu kommen, an dem ich das sagen kann. Ich bin, wenn ich das erste Wort spreche, an einem Ort unendlicher Ruhe und Geborgenheit. Wer es in dieser Geborgenheit spricht, sagt auch zugleich das Umgekehrte: Gott ist in mir, wie er es in allen Wesen dieser Erde ist. Wenn ich nach Hause komme, dann finde ich mich selbst, und ich finde in mir als meine eigentliche Mitte Gott.

Er füllt mich aus. Mein Gebet will, dass ich an Wichtigkeit immer mehr abnehme und jene Mitte, die Gott ist, allein wichtig wird. Auf beiden Wegen, dem Weg nach außen in die Weite und dem Weg in meine eigene Mitte, kann ich ebenso gut schweigen wie reden. Auf beiden Wegen aber begleitet mich, wenn ich ihm Raum gebe, dieses schlichte und große Gebet, das mir Jesus gibt: das Vaterunser.

Was geschieht denn mit mir, wenn ich bete? Ich breite die Arme aus und mache mich weit. Ich trete aus mir heraus, nehme die Schicksale, die Mühen und die Leiden auf, die um mich her getragen und erlitten werden, und bringe sie vor Gott. Und ich mache mich zu einer anderen Stunde so klein an Raum, wie ich wirklich bin, und lasse alles los, was außen geschieht. Ich halte Gott mein Leben hin mit der Bitte, er möge mir beistehen. Ich halte ihm mein krankes Ich hin und erbitte mir, er möge es berühren. Ich halte ihm alle meine Erfahrungen hin und bitte ihn um Kraft. Ich halte ihm meine unruhigen, flackernden Gedanken hin und bitte ihn, er möge sie ordnen. Ich ruhe in der Wahrheit, die Gott ist. Ich denke nicht über mich selbst nach, sondern über den nahen und heiligen Gott. Ich senke meine Wurzeln in den festen Grund, der er ist. Ich vertraue darauf, dass etwas in mir wächst, dass Wahrheit in mich einkehrt, dass neue Anfänge gelingen. Dass ein Ziel sichtbar wird. Dann trete ich wieder aus mir heraus und spreche für die Menschen und ihre Nöte auf der ganzen, weiten Erde. Ich blicke hinaus über meine, unsere gegenwärtigen Wirrnisse in unsere gemeinsame Zukunft. Die Zukunft des Menschendaseins, die ja weit hinausreicht über die Zeit, in der ich hier lebe. Und ich tue das in dem Vertrauen, dass Gott, der mir meinen Platz gab und mein Leben, mein ganzes Vertrauen wert ist, und dass, was er mir gibt, so ist, dass ich es dankbaren Herzens annehmen kann.

Es ist ja eine eigene Sache mit Worten wie dem Vaterunser, die die Menschheit durch Jahrtausende hin auf ihrem Weg begleiten. Einer sprach sie aus, andere hörten sie, nahmen sie auf, gaben sie weiter. Durch Generationen, durch Jahrhunderte werden sie weitergesprochen, weitergehört, weitergeschrieen, weiterbedacht und füllen sich dabei mit den Erfahrungen und Schicksalen und Wünschen aller, die sie in den Mund nahmen. Wenn sie zu einer neuen Generation kommen, so tragen sie die Gedanken aller Früheren mit sich, auch alle ihre Missverständnisse und allen Missbrauch.

Kaum ein Wort ist auf dem Weg der Christenheit so oft, so bewusst, so ängstlich oder so leidenschaftlich weitergesprochen worden wie das Vaterunser. Wenn es nun zu uns kommt, bringt es also die Schicksale von Millionen mit, ihr Leiden und ihr Glück, ihre Angst und ihre Hoffnung, ihre Nöte und ihre Dankbarkeit. Der Notschrei irgendeines Leibeigenen, eines Gefangenen, eines Kranken, das Glück eines Liebenden, einer jungen Mutter, eines fröhlich Schaffenden, die Gefährdung eines Abenteurers, die Geduld und tragende Kraft eines Einsiedlers, die Verantwortung eines Regierenden. Es ist mit allen großen Überlieferungen der Menschheit so. Man kann sie nicht abschaffen. Sie sind da. In einer geistigen Weise oder in einer geistigen Welt, wie immer wir sagen wollen, und wir sind geführt und getragen, gefährdet oder auch getröstet, indem wir sie aufnehmen. Wir sind ja nicht die, die alles erfinden müssten. Wir tragen nicht nur das Erbe früherer Menschen in uns, sondern auch ihre Gedanken, ob wir sie kennen oder nicht. Wir bewegen uns in ihnen. Wir leben aus ihnen. Wir brauchen uns unseren Zugang zu Gott, den Zugang auch zu allen Hinter- und Untergründen des Daseins nicht allein und selbst zu suchen. In solchen Worten öffnet sich uns, leise und vielleicht manchmal nur einen Spalt breit, die Tür in die größere Welt, die Tür zur Wahrheit, die Tür zum Sinn unseres Lebens. Und manchmal, wenn wir ein so altes Wort sprechen, geht es uns wie ein Lichtstrahl auf: Ja! Das ist es! Das geht uns an! Hier ist ein Weg für uns, für mich! Es gibt ja nicht nur das, was wir die Geschichte nennen, die Folge von Ereignissen aus einer vergangenen, vielleicht vergessenen Welt. Es gibt auch die Geschichte ihrer Wirkungen, die wir bis heute in jedem einzelnen Ereignis aufspüren können, und es gibt eine geistige Wirkung von alles durchdringender Kraft.

Wenn wir ein Wort wie das Vaterunser nun selbst sprechen, so stellen wir uns in die Reihe all derer, die ihm nach ihre Lippen bewegt haben. Wir versuchen auch, es so zu hören und nachzusprechen, wie es für jene, die Jesus unmittelbar gegenüberstanden und ihn hörten, geklungen haben mag. Und dann füllen wir es erneut mit unseren eigenen Gedanken, mit unseren Empfindungen und Ängsten und Wünschen. Wir treten selbst ein in die Situation, in der es zum ersten Mal laut wurde, und das tun wir als die Kinder dieser unserer heutigen Zeit und Welt.

Aber wie ging es zu, damals, als Jesus von Nazaret dieses Gebet zum ersten Mal sprach? Es wird immer wieder erzählt: »Jesus ging allein auf einen Berg, um zu beten.« Oder: »Am Morgen, noch vor Tag, stand er auf, ging an eine einsame Stätte und betete dort.« Oder: »Er stieg auf einen Berg und blieb dort die Nacht über im Gebet.« Seine Freunde sahen ihn weggehen und wiederkommen und fragten sich, was er denn dort so lange getan habe. Sie erinnerten sich: Einiges Wenige hatte ihnen ihr Meister über das Gebet gesagt. Einmal hatte er sie angewiesen: »Wenn ihr betet, dann steht nicht öffentlich dabei herum. Geht in die hinterste Kammer in euren Häusern, schließt die Tür und sprecht mit eurem Vater im Verborgenen« (Mattäus 6,5–6). Vertraut darauf, dass er euch nahe ist in dieser unauffälligen Abgeschiedenheit. Oder: »Wenn ihr betet, dann plappert nicht. Ihr überzeugt Gott nicht dadurch, dass ihr viele Worte macht. Er weiß, was ihr sagen wollt, ehe ihr den Mund bewegt« (Mattäus 6,7). Oder auch: »Scheut euch nicht, vorzubringen, was euch wichtig ist. Sprecht aus, worunter ihr leidet. Sagt, was für Hilfe ihr braucht. Sucht Gott, ihr werdet ihn finden. Klopft an, er wird euch auftun. Vertraut auf seine wissende Güte« (Mattäus 7,7–8).

Aber das wollte ihnen nicht genügen. Was tat denn Jesus ganze Nächte lang? Und so sprachen sie ihn eines Tages, als er aus solchen Stunden der Einsamkeit zu ihnen zurückkam, an: »Meister, sage uns, wie wir das machen sollen: dieses Beten« (Lukas 11,1–4). Vielleicht erwarteten sie, er werde ihnen nun Wege zeigen, wie sie sich sammeln können, sich konzentrieren, ihr Körpergefühl einbeziehen, Bilder meditieren oder in Düften versinken, wie es die Meister anderer Religionen vorzeichneten. Aber Jesus gab ihnen nichts als eine kurze Reihe von wenigen Worten, die sie sprechen sollten: das Vaterunser.

Damit keine Missverständnisse entstehen: Es ist nicht das Geringste gegen gründliche Übungen in der Konzentration einzuwenden. Wer hat seine Gedanken schon unter Kontrolle? Wer vermag sie eine Stunde lang einen geradlinigen Weg zu führen, ohne abzuschweifen? Es ist nicht das Geringste einzuwenden gegen die vielen verschiedenen Stufenwege des Meditierens. Wer vermag schon die Empfindungen, die Regungen, die Bilder, die in seiner Seele aufsteigen, zu ordnen und zu klären? Wer versteht schon die Sprache der Bilder, die aus so großer Tiefe aufsteigt? Wer hat seine eigene Sprache so in der Hand, dass sie ausdrückt, was er wirklich meint? Nichts ist einzuwenden gegen ein Training der eigenen Willenskraft. Wer erfüllt wirklich, was er sich vornimmt? Auch das Stillwerden mitten im Lärm und Geschrei ist eine lebenslange Einübung wert. Es ist jedem von uns deutlich, was ein Mönch des Mittelalters in einer geistlichen Übungsschrift schrieb, der die Fahrigkeit seiner Gedanken beklagt:

»Wehe über die Gedanken in meinem Kopf!
Wie sie mir davoneilen!

Wenn ich die Psalmen lese, so schweifen sie ab
auf unrechte Wege. Sie wirbeln durcheinander,
sie toben, sie streiten vor Gottes reinen Augen.

Durch wogende Menschenmengen eilen sie,
durch Kreise spielender Mädchen,
durch Wälder und Städte wie ein Wirbelwind.
Der Erinnerung verloren,
streifen sie nah und weit,
von manchem großen Auftrag listig abgedrängt
schleichen sie heim.

Ohne Schiff gleiten sie über die See,
mit einem Schwung
fahren sie von der Erde zum Himmel auf.
Es ist ein törichtes Wettrennen nah und fern,
nach schwindelndem Lauf
kehren sie zu mir zurück.

Versucht man gleich, sie zu binden
oder ihnen Ketten an die Füße zu legen –
sie reißen sich los und eilen davon,
unaufhaltsam, ohne Rast und Ruh.

> Weder Schwertes Schneide noch Peitschenhieb
> halten sie zurück. Schlüpfrig wie der Schwanz
> des Aals entgleiten sie meinem Griff.«

Vom Disziplinieren der eigenen Gedanken beginnt man erst heute wieder etwas zu ahnen, und das ist umso nötiger, als uns die strengen Übungen jener Zeit so ganz abhanden gekommen sind. Und es ist auch begreiflich, dass die Jünger Jesu von seiner Art, nächtelang zu beten, etwas lernen wollten. Dennoch: Von ihrem Meister erhofften sie sich solche Anleitungen vergeblich. Er ging mit ihnen einen kurzen, geraden Weg mit ein paar Worten, die einem bestimmten Gefälle folgen, mit Worten, wie wir sie täglich, stündlich, wo immer wir gehen und stehen, denken oder sprechen können, unabhängig davon, ob uns bei unserem Versuch zu beten etwas Eigenes einfällt oder nicht: das Vaterunser.

Aber es ist wie mit allem, was aus einer langen Geschichte zu uns kommt. Es wird gehört. Es wird aufgeschrieben, abgeschrieben, übersetzt von einer Sprache in viele andere Sprachen. Und dabei geht ihm die schlichte Eindeutigkeit verloren, die es für die hatte, die es zum ersten Mal hörten.

Wenn wir das Vaterunser in den Evangelien des Neuen Testaments aufsuchen, fällt uns auf, dass es in zwei verschiedenen Fassungen berichtet ist. In einer kurzen Fassung bei Lukas im 11. Kapitel. In einer längeren Fassung bei Mattäus im 6. Kapitel. Dazu kommt noch eine dritte Fassung aus späterer Zeit, die in einem urchristlichen Lehrbrief erhalten ist. Es scheint also mehrere Erinnerungen daran gegeben oder eine Entwicklung von der ersten bis zur dritten Fassung stattgefunden zu haben, die von Lukas zu Mattäus ging und von Mattäus zur späteren Endform.

Lukas gibt es so wieder:

»Vater!
Geheiligt werde dein Name.
Es komme dein Reich.
Unser Brot für heute gib uns jeden Tag.
Und vergib uns unsere Sünden,
denn auch wir vergeben jedem Schuldigen.
Und führe uns nicht in Versuchung.«
LUKAS 11,2–4

Mattäus so:

»Unser Vater in den Himmeln,
geheiligt werde dein Name.
Es komme dein Reich.
Geschehen soll dein Wille,
wie im Himmel, so auf der Erde.
Unser Brot für den kommenden Tag gib uns heute
und vergib uns unsere Schulden,
wie auch wir denen vergeben haben,
die an uns schuldig wurden.
Und führe uns nicht in Versuchung,
sondern reiße uns los von der Macht des Bösen.«
MATTÄUS 6,9–13

Eine dritte Fassung ahnen wir aus der späteren Endform, in der ein Schlussvers es abschließt:

»Denn dein ist das Reich
und die Kraft und die Herrlichkeit
in Ewigkeit. Amen.«

Nun haben wir selbstverständlich das Recht zu fragen, warum dieser so zentrale Text nicht wenigstens einheitlich überliefert sei. Aber vielleicht wird uns dabei etwas aufgehen von dem Geist, in dem die Urgemeinde der Christen gelebt und gedacht hat. Vielleicht verstehen wir dabei, wie wenig sich die ersten Christen von einem amtlich festgelegten Gebet versprochen haben und wie frei sie auch mit wichtigen Überlieferungen umgegangen sind. Wenn sich ihre Situation im Lauf der ersten Jahrzehnte veränderte, so sprachen sie, was ihnen gegeben war, anders weiter, ähnlich, wie wir es heute mit den Übersetzungen der biblischen Ursprachen in eine heutige Sprache immer wieder tun. Wie mag das zugegangen sein?

Vielleicht war da zunächst der Wortlaut, den wir bei Lukas lesen. Er scheint sich vor allem für das Gebet der Einzelnen unter den Freunden Jesu geeignet zu haben. Sie begannen ihr Gebet einfach mit »Vater!« Als es später Sitte wurde, es in den Gottesdiensten ganzer Gemeinden zu sprechen, könnte man die Anrede geändert haben und gesagt: »unser« – gemeinsamer – »Vater«. Und vielleicht hat man danach Grund gehabt, zu befürchten, die Nähe der einzelnen Christen zu diesem Vater werde allzu vertraulich, dann könnte man hinzugefügt haben: »der du im Himmel bist« und damit gesagt: So selbstverständlich, dass Gott dir immer und überall zu Verfügung stünde, ist es auch wieder nicht. Gott ist »im Himmel« und du auf der Erde. Und das lag nahe, denn es war unter jüdischen Betern immer Brauch gewesen, zu betonen, dass Gott »im Himmel« und der Mensch auf der Erde sei.

Nun war es im Judentum von jeher Sitte, ein Gebet mit einem rühmenden Schluss, einem Lobpreis abzuschließen. Zum Beispiel dann, wenn die versammelte Gemeinde auf ein ihr vorgesprochenes Gebet eines Vorbeters mit ihrer Zustimmung antworten wollte. So könnte man am Ende angefügt haben: »denn dein ist das Reich und die Kraft und die Herrlichkeit in Ewigkeit. Amen.« Ähnlich lautet ein solcher Hymnus schon im Alten Testament:

»Dein, Herr,
sind Majestät und Gewalt, Sieg und Hoheit,
denn alles, was im Himmel ist
und auf der Erde, ist dein.
Dein ist das Reich, und du stehst über allem.«
CHRONIK 29,11

Das muss freilich nicht bedeuten, dass dieser feierliche Abschluss erst später von den christlichen Gemeinden, die danach im römischen Reich entstanden, hinzugefügt worden wäre. Wir sprechen in unseren Gottesdiensten bis heute noch ähnlich, wenn uns ein Psalm vorgelesen wird, und geben unsere bestätigende Antwort:

»Ehre sei dem Vater und dem Sohn
und dem Heiligen Geist,
wie es war im Anfang, jetzt und immerdar
und von Ewigkeit zu Ewigkeit. Amen.«

Oder auch das kurze:

»Ehre sei dir, Christus.«

Aber diese beiden Antwortformeln stehen nicht im gelesenen Psalm, sie werden frei hinzugesprochen. So mag es sein, dass das abschließende Wort »denn dein ist das Reich und die Kraft und die Herrlichkeit in Ewigkeit. Amen« durchaus auf Jesus zurückgeht, dass es aber nicht nötig schien, es schriftlich festzuhalten, weil es üblich war, ein Gebet so zu beenden.

Eine andere, schwerer wiegende Merkwürdigkeit ist die, dass bei Lukas das Wort »dein Wille geschehe wie im Himmel so auf Erden« fehlt. Man hat schon vermutet, es habe schon bei Jesus gefehlt und sei nach seinem Tode eingefügt worden. Da war jene Nacht gewesen, als Jesus im Garten Getsemane im Gebet mit Gott kämpfte und sich am Ende fügte mit den Worten: »Nicht wie ich will, sondern wie du willst« und »es geschehe dein Wille«. Diese Einwilligung habe die Gemeinde also nach Ostern in das Vaterunser eingefügt. Vielleicht aber liegt in der vollständigeren Fassung des Mattäus das genauere Erinnerungsgut vor. Wir können es nicht wissen. Bei solchen Fragen scheint mir wichtiger als historische Untersuchungen die zu sein, was denn mit allen diesen Worten in unserem eigenen geistlichen Leben geschehen soll und wohin sie uns führen wollen.

Eins sei noch angefügt, ehe wir in dieses große Gebet einzudringen versuchen: Wir sagen »Vater unser«. Woher kommt die in unserer deutschen Sprache völlig unsinnige Reihenfolge dieser beiden Worte? Niemand, der sein Kind anspricht, sagt: »Kind meines«! Aber wir hängen noch immer an der lateinischen Fassung, die früher allein im Gebrauch war, und in der es hieß: »Pater noster«. Es hat schon etwas Trostloses an sich, wie wir heute noch, auch in den meisten evangelischen Kirchen, an dieser lateinischen Wortfolge hängen, als wüssten wir nicht, wie man es auf Deutsch sagt. Die Freiheit, in der die Urgemeinde mit dem Vaterunser umging, könnte uns sehr helfen. Wenn wir uns aber offensichtlich nicht darüber einigen können, wie wir sagen wollen, dann schlage ich vor, wir folgten dem Text des Lukas und sagten schlicht und einfach »Vater«. In dieser Anrede läge allemal mehr Unmittelbarkeit und persönliche Direktheit zu dem hin, den man so anspricht, und mehr geistliche Kraft.

Einen »Vater« anreden

Was mich immer wieder am stärksten berührt, wenn ich über Jesus nachdenke, ist nicht so sehr, was er geredet oder getan hat. Es ist nicht seine Unbeugsamkeit gegenüber den herrschenden Mächten, nicht einmal seine ausstrahlende Güte, nicht die Geschichten, die er erzählt hat oder die über ihn erzählt werden. Am stärksten ist für mich die unglaublich reine Selbstverständlichkeit, in der er sich mit Gott verbunden wusste, und die hinreißende Gewissheit, mit seinem Vater eins zu sein, die durch alles hindurchleuchtet. Er war sich gewiss und bewusst, von seinem Vater umfangen zu sein, durchpulst von ihm und keinen Augenblick verlassen von seiner Liebe. Wo er stand, war der Vater. Wo er ging, war er von ihm begleitet. Auf seinen Wink handelte er, was er von ihm hörte, sagte er den Menschen weiter. Alles hatte dann seine genaue Zeit, wenn der Vater »die Stunde« angab, und es geschah so, wie er es anwies. Die Welt, die gefährliche und armselige, in der er lebte, lag in der Hand des Vaters, und er beging und bewohnte dieses Haus mit einem einzigartigen Vertrauen.

Das war im Grunde sein erstes Thema: Die Welt ist das Haus des Vaters. »Darum«, so redete er zu den Armen und Verachteten in seinem Land, »verzehrt euch nicht in eurer Sorge! Richtet euch auf! Ihr seid seine Kinder. Ihr kommt von ihm her. Ihr lebt in seinem Schutz. Kein Haar fällt von eurem Haupt, wenn er es nicht will. Ihr kehrt am Ende zu ihm zurück. Lebt nun so, dass man euch anmerkt, dass ihr seine Töchter seid, seine Söhne! Wenn ihr betet, dann sagt: ›Vater!‹ Sagt es mit der Selbstverständlichkeit, die ich euch vorlebe. Das Wort ›Vater‹ gilt, es ist die Wahrheit.«

Wenn ich mich heute bemühe, etwas von Jesus in meinem Leben Gestalt werden zu lassen, dann ist hier der Ausgangspunkt. Wenn ich irgendwo stehe, unterwegs bin, am Tisch sitze, auf einer Bank in einem Park oder in einer alten Kirche, dann sage ich nichts weiter als »Vater«. Und sogleich fangen die Gedanken an, zur Ruhe zu kommen und sich zu ordnen. Dann fängt eine starke, heilige Nähe an, sich um mich zu schließen. Ich sage: Du bist da. Nichts weiter. Oder: Danke. Und sogleich tauche ich ein in seine dichte Gegenwart. Ich rede nicht viel. Was ich denke, weiß er. Worunter ich leide, sieht er. Was mein Herz bewegt, hört er. Ich schließe einen Augenblick die Augen und bin in Gott. Ihm gebe ich mich hin mit allen den Menschen zusammen, die mit mir ein großes und gutes Haus, ein von einem Vater behütetes, zum Leben nötig haben. Ich stelle mir den Gott, den ich anrede, vor als das Herz der Wirklichkeit, die Lebenskraft der Wirklichkeit oder ihre Mitte, aus der sie besteht.

Einer der Großen der Christenheit des 5. Jahrhunderts sagte das so:

»Nur weil Gott ist, ist der Stein ein Stein.
Nur weil Gott ist, ist der Baum ein Baum,
der Löwe ein Löwe, der Mensch ein Mensch.
Denn ohne ihn, der die Einheit ist in den Dingen,
könnte nichts sein.
Ohne dass er von seinem Licht bis zu uns hin
einen Abglanz leuchten lässt, könnte nichts sein.

Oder anders gesagt:
In allem, was ist, leuchten seine Strahlen.«
DIONYSIUS AREOPAGITA

Einer der Weisen des 4. Jahrhunderts sagt es ähnlich:

»Gott,
geheimnisvoll waltest du überall,
und überall bist du verborgen.
Du bist gegenwärtig in der Höhe,
aber die Höhe kann dich nicht fassen.
Du bist in der Tiefe,
aber sie umgreift dein Wesen nicht.
Du bist ganz nur Wunder,
wo immer wir dich suchen.
Nah bist du und fern. Wer gelangt zu dir?
Der forschende Geist, der sinnende, kann es nicht.
Dir naht nur der Glaube,
nur die Liebe, nur das Gebet.«
EPHRÄM, DER SYRER

Und eine der großen französischen Mystikerinnen des 17. Jahrhunderts führt diesen Gedanken so zu Ende:

»Was ist das Gebet?
Es ist ein wortloses Atmen der Liebe
in der unmittelbaren Gegenwart Gottes.«
JEANNE FRANÇOISE DE CHANTAL

Wir selbst aber, denen solche Gedanken so fremd geworden sind, können einen Anfang machen, in dem wir schweigen und horchen. Wir können unser Gebet so beginnen:

Schweigen möchte ich, Gott,
und auf dich warten.

Schweigen möchte ich, damit ich verstehe,
was in deiner Welt geschieht.

Schweigen möchte ich,
damit ich den Dingen nahe bin,
allen deinen Geschöpfen, und ihre Stimmen höre.

Ich möchte schweigen,
damit ich unter den vielen Stimmen
die deine erkenne.

Ich möchte schweigen und darüber staunen,
dass du für mich ein Wort hast.

Ich bin nicht wert, dass du zu mir kommst,
aber sprich nur ein Wort,
so wird meine Seele gesund.

Und wir könnten dabei beginnen zu verstehen, dass alles Beten mit einem Horchen beginnt. Dass unsere Seele aber kein Ohr gewinnen könnte, wären wir nicht von Gott angeredet. Und dass unsere Seele kein Wort eines wirklichen Gebets fände, wäre da nicht ein hörender Gott. Horchen und anwesend sein, horchen und antworten, damit beginnt alles Gebet. Unser Gebet besteht also nicht in dem Bemühen, Gott zu erreichen, sondern darin, dass wir unsere Sinne, unsere Augen und Ohren öffnen, bis uns die Tatsache aufgeht, dass wir immer schon, ehe wir mit unserem Bemühen einen Anfang machen, bei ihm und in ihm sind.

Es ist uns Menschen, unserem Verstand und unserer Seele eingestiftet, dass wir von allem, was wir nicht sehen, so reden müssen, als sähen wir etwas. Wir müssen Bilder aus der uns nahen sichtbaren Wirklichkeit nehmen, um etwas zu bezeichnen, das uns fern und verborgen ist. So reden die Dichter. So reden aber auch Mythen und Märchen, und selbst die Wissenschaft redet so, wenn sie von Dingen spricht, die niemand je gesehen hat. Das ist nicht etwa die Redeweise einer vergangenen Zeit. Es ist einfach Menschenweise. Nichts werden wir ohne unsere bildhafte Sprache wirklich verstehen, um das es sich lohnt, es zu verstehen. Wir nennen das Innerste in uns, das Tiefste, unser »Herz«. »Dein ist mein ganzes Herz«, sagen wir zu einem Menschen, den wir lieben. Wir nehmen das schlichte Organ, das wir in uns tragen, als Bild und bezeichnen damit, was niemand von uns je gesehen hat: das verborgene Geheimnis unseres inneren Menschen. Und so reden wir auch von Gott in Bildern. Wir suchen nach einem Vergleich, der möglichst viel von dem zeigt, was wir sagen wollen. Wir denken an den Vater einer Familie und bezeichnen damit, was wir von Gott und von unserer Beziehung zu ihm glauben. Drei Fehler könnten uns dabei unterlaufen. Der erste wäre, zu meinen, damit sei Gott beschrieben. Der zweite Fehler wäre der, zu meinen, an einem menschlichen Vater wäre nun alles abzulesen, was und wie Gott sein müsse. Der dritte der, Gott auf das männliche Geschlecht festzulegen. Aber Gott ist weder Mann noch Frau. Er ist Gott. Und es ist nicht ganz ungefährlich und bleibt es, irgendwelche menschlichen Bilder auf Gott anzuwenden. Immerhin: Jesus gibt uns das Recht, so zu reden.

Wenn Jesus also das Gleichnis vom »Vater« wählte, wenn er von Gott sprach, dann tat er das wohl unter anderem deshalb, weil ein Vater in den gesellschaftlichen Ordnungen der damaligen Welt das absolute Oberhaupt der Familie und weil daran kein Zweifel möglich war. Ein »Vater« war Autorität. Die kulturelle Entwicklung ging inzwischen um 2000 Jahre weiter und mit ihr veränderten sich die Grundbilder, in denen unser Leben sich ausdrückt. Wir sehen heute Mann und Frau auf gleicher Geltungshöhe nebeneinander, auf gleicher Höhe ihrer Rechte und Verantwortungen. Sollte es also heute jemand schwer fallen, Gott einen »Vater« zu nennen, weil ihm dabei der eigene Vater und was er von ihm erlebt hat, im Wege steht, so scheint es mir völlig selbstverständlich zu sein, dass es ihm erlaubt ist, sich zu sammeln und zu sagen: Mutter! Vielleicht empfindet er dabei mehr von dem, was Jesus ihm zeigen will. Und wieder geht es dabei nicht um die Einseitigkeit einer menschlichen Geschlechterrolle. Die Mutter wird dabei nicht zu einer Göttin. Er oder sie, der Vater oder die Mutter, verweist als ein Bild auf Gott in dem heiligen und umfassenden Sinn, den Jesus meint.

Das sah schon das Volk der Juden ähnlich. In Jesaja 66 sagt einer seiner Propheten im Namen Gottes:

»Ich will ihre Kinder auf dem Arm tragen,
auf den Knien will ich sie liebkosen.
Ich will euch trösten,
wie einen Mann seine Mutter tröstet.«

An anderen Stellen wird Gott immer wieder wie eine Mutter geschildert, die ihr Kind im Leib trägt, es zur Welt bringt, es mit sich führt, es »hebt, trägt und bewahrt«. Im Grunde ist es unsinnig, dass wir, wie unsere Sprache es nun eben tut, von Gott als von einem »er« sprechen. Aber sagten wir »sie«, wäre es nicht besser.

Gott ist weder Mann noch Frau. Gott ist Gott. Aber da unsere Sprache nichts anderes anbieten kann, ist es unumgänglich, dass wir ihn uns im Bild eines Menschen vorstellen.

Aber weiter: Wenn ich sage »Vater!«, so gehe ich davon aus, es habe Sinn, Gott anzureden. Dann ist mir Gott auf jeden

Fall mehr als ein blindes Schicksal, mehr als eine bloße Naturkraft, mehr als ein kosmisches Fluidum oder ein Weltgeist. Er ist mehr als ein Naturgesetz oder eine Art Energie. Ich nehme dann noch ein weiteres Bild aus dieser Welt meiner Erfahrungen mit anderen Menschen und mit mir selbst und stelle mir eine Art »Person« vor. Eine »Person« hört, was ich sage. Sie sieht, was ich tue. Sie teilt sich mit. Sie trifft Urteile und Entscheidungen, sie gibt Weisungen, handelt, setzt sich Ziele. Dass ich mir Gott als eine Art von »Person« vorstelle, ist die Voraussetzung dafür, dass ich zu ihm sprechen kann. Zu einer bloßen Naturkraft kann ich nicht beten. Darin liegt für unsere heutige Zeit eine zentrale spirituelle Denkaufgabe. Bis in Kreise von Theologen hinein raten uns manche, die Vorstellung von Gott als einer »Person« hinter uns zu lassen und ihn zwar als allgegenwärtig, aber ohne persönliches Bewusstsein und Profil vorzustellen.

Dabei ist beides wahr: Gott ist zweifellos in allem, was Stoff ist, er wirkt in allem, was wir die Selbstorganisation des Lebendigen nennen, er steht in allem als Gesetz, als Ordnung, als lebendige Kraft, als gestaltende Phantasie, als Informationsfluss zwischen den kleinsten Teilchen der Materie, als vorausdenkende Planung. Dies alles lassen wir gelten auch dann, wenn wir uns Gott nicht als Person vorstellen. Aber was soll uns danach hindern, uns diesen Gott als ein seiner selbst bewusstes, denkendes Wesen vorzustellen, ausgestattet mit wirkender Kraft, mit Willen und einer hochdifferenzierten geistigen Gesprächsfähigkeit, mit Barmherzigkeit, mit Liebe? Wenn Gott keine Person wäre, so hätte der Mensch in der Geschichte der Evolution einen höheren Stand und einen höheren Rang erreicht als Gott selbst. Aber warum wollen wir es denn nicht aushalten, dass uns Gott zugleich erscheint als gegenwärtig in allen Dingen und als Person? Warum immer dieses klein bemessene Entweder-oder? Wir hindern uns doch mit unserem ständigen Entscheiden zwischen dem, was wir für möglich halten oder für unmöglich, nur daran, das Wesen dieser Welt, auch das Wesen des Menschen und zuletzt das Wesen Gottes zu verstehen! Denn das scheint mir unserem menschlichen Geist eigen zu sein: Er wird, was über seinen Horizont hinausreicht, immer nur in unauflöslichen Widersprüchen schildern können.

Nein, es liegt sehr viel Weisheit darin, dass die Bibel Gott mit »du« anspricht. Dass sie von seiner Treue redet oder seiner Güte, als wäre er etwas wie ein Mensch. Sie sagt etwa, wir stünden »vor seinem Angesicht«, obwohl ihr niemand unterstellen wird, sie meine, Gott habe ein Gesicht wie ein Mensch. Sie will damit sagen, die Würde eines Menschen komme zur Erscheinung, wenn er dem Gesicht eines anderen Menschen gegenübertritt. So rühre die eigentliche und besondere Würde des Menschen aus seinem Gegenüber zu Gott. Wenn ich Gott »schauen« wolle, müsse ich ihm mein eigenes Gesicht zuwenden. Und so rede ich Gott an als den, den Jesus mir mit dem Wort »Vater« bekannt macht, und finde dabei den Stand und den Sinn meines Lebens.

Wo aber ist Gott? Ist er auch in mir selbst? Wenn er in dem Pflaumenbaum vor meinem Fenster ist und wirkt, oder in dem Hund, der draußen vorbeiläuft, in dem Computer auf meinem Tisch – wie komme ich dann darauf, zu meinen, er sei in mir selbst nicht ebenso gegenwärtig und wirksam? Wie sollte ich meinen, ich sei der einzige Punkt in der weiten Welt, an dem Gott nicht wäre? Schaue ich meine Hand an: In meiner Hand greift Gott. Anders könnte sie nichts fassen. Er ist in den Windungen meines Gehirns. Anders entstünde dort kein Gedanke. Und er ist doch ganz anders als ich selbst. Auch wenn ich sage, er sei in mir, bleibt er doch der ganze Andere. Und ich rede ihn an als das große Gegenüber, das Jesus den »Vater« nennt, und ich wende mich an ihn in einem wortlosen oder in einem in Worte gefassten Gebet.

Ich sage also:
Du Vater!
Von dir komme ich her.
Ich bin erfüllt von dir.
Du bist das Haus, in dem ich wohne,
das Ziel, auf das ich zugehe.
Was in dieser Welt wahr ist, das ist es,
weil du die Wahrheit bist.
Was Leben hat, das lebt, weil du das Leben bist.
Was schön ist, ist es durch dich, ewige Schönheit.
Und wenn alles dunkel ist,
wenn ich mein Schicksal nicht verstehe,
dann schaust du mich doch
aus der Dunkelheit an.
Du siehst mich als einer, der mich liebt.
Indem ich dein Licht spiegele,
wird mein Gesicht hell.
Mein ganzes Dasein ist eingefasst in dich,
und aus dir werde ich nicht fallen.
Ich vertraue darauf, dass ich in einer Welt,
in der das Elend und das Böse
unbesiegbar scheinen,
das Wagnis eingehen kann, ein Liebender zu sein.

Jesus sagt mir: Sei ganz in dem, was du sagst. Sei ganz in dem, was du glaubst. Sei ganz in dem, was du liebst. Geh in die innerste Kammer deines Herzens und klopfe an die Wand. Es wird sich dir eine Tür öffnen. Dann geh durch diese Tür in einen Raum hinüber, der größer ist als dein

Herz und in dem Gott auf dich wartet. Dann sage: Ich bin da. Aber sage dazu: Ich bin da zusammen mit allen Menschen, die dich suchen, die dich finden oder nicht finden, die vertrauen oder die nicht vertrauen können. Ich bin bei dir mit allen Menschen dieser Erde zusammen.

Nun aber bleibt die Frage, ob ich denn nicht doch allein vor Gott stehe. Es hatte ja sehr seinen Sinn, dass die erste Gemeinde von Christen diese Anrede einer Gemeinschaft Jesus in den Mund gelegt und gesagt hat: »unser Vater«. Denn auch dieser Widerspruch gilt: Wir sind einzelne Menschen mit ihrer eigenen Würde. Wir begegnen Gott als Einzelne. Und wir sind andererseits Wesen, die ohne die Gemeinschaft mit anderen Menschen nicht denkbar wären und nicht lebensfähig. Wir sind Wesen, die immer und in jeder Hinsicht in eine Gemeinschaft hineingestellt sind und Tag um Tag darauf angewiesen, dass es sie gibt.

Wenn ich sage: »Unser Vater«, tue ich mich zusammen mit allen Zeitgenossen, auch denen, die keine Christen sind und keine Angehörigen meiner Familie und meines Landes. Damit aber tue ich mich zusammen nicht mit einer Masse von Menschen, sondern mit einer Gemeinschaft unendlich vieler Einzelner, deren Würde ich respektiere, deren Freiheit ich schütze, deren Erfahrungen und Einsichten mir wichtig sind. Es gibt heute ein Elend religiöser Vereinsamung und Verlassenheit, das daher rührt, dass der Einzelne allzu leicht meint, er müsse seine Sache mit Gott allein mit sich selbst abmachen. Dass er sich scheut, sich anderen damit anzuvertrauen. So entsteht das Bild einer verödenden religiösen Landschaft, in der die Wahrheit eines in Wirklichkeit millionenfachen religiösen Suchens und Bemühens kaum mehr wahrnehmbar ist.

In dieser religiösen Vereinsamung liegt auch die Gefahr, dass viel Wahrheit verloren geht. Denn es ist, auch wo das stille Gebet des Einzelnen noch seinen Raum hat, auf die Dauer nicht gut, wie die Bibel sagt, »dass der Mensch allein sei«. Wir sind angelegt auf ein Bündnis mit allen, die glauben, lieben und anbeten, und zu einem Bündnis mit allen, die suchen, die leiden, die schuldig sind und die der Schwestern und Brüder bedürfen, wo immer auf der Welt sie anzutreffen sind. Wir können uns alle nicht selbst am Leben erhalten. Wir können uns nicht selbst trösten. Wir können nicht unsere eigenen Liebhaber sein. Das Gebet aber ist in seiner vollständigen Form ein Netzwerk, in dem wir mit allem, was geschieht, und mit allen, denen es gegeben ist, verbunden sind.

Aber mehr noch: Immer bestand die Gefahr, dass einzelne Menschen, aber auch ganze Völker, ihre Gottesbeziehung auf ihren eigenen Bedarf eingrenzten. Dass der Eine oder Andere von denen, die für sich allein »Vater!« sagten, mit Gott umgehen wollte, als gehöre Gott ihm. Als sei Gott sein Parteigenosse, sein Dienstbote oder sein Verbündeter gegen alle Feinde. Immer wieder haben ganze Völker, auch wenn beide sich als christlich verstanden, gegeneinander gekämpft in der beiderseitigen Überzeugung, Gott stehe jeweils auf ihrer Seite. Hätten wir in den letzten hundert Jahren sagen können: Gott ist ein Gott von Franzosen und Deutschen, von Deutschen und Russen, so wäre der törichte Selbstbetrug vermieden worden, den man auf deutschen Koppelschlössern lesen konnte: »Gott mit uns«. Könnten Moslems und Christen heute gemeinsam sagen: Gott unser Vater, Allah unser Vater, so wäre die schreckliche Vereinfachung nicht möglich, dass Moslems heute »im Namen Gottes« gegen die Ungläubigen, das heißt die Christen, zum Mittel des Terrors greifen oder Christen umgekehrt zum Mittel der Ausbeutung. Nein, es ist heute dringend an der Zeit, dass wir zwischen Kirchen, Staaten und Religionen lernen zu sagen: »Unser Vater«! Unser Gott, wie immer wir ihn denken, wie immer wir gelernt haben, ihn zu verstehen. Das Mindeste an Gemeinsamkeit zwischen den Religionen wäre also die Gemeinsamkeit des Gottes, von dem auf allen Seiten so verschieden geredet wird, wenn sie denn alle wirklich den einen Gott meinen.

Was die erste Gemeinde möglicherweise am Wortlaut des Vaterunsers noch verändert hat, ist der Zusatz »du im Himmel« oder »der du bist im Himmel«. Auch das entsprach einer alten Übung im jüdischen Volk. Dass Gott im »Himmel« wohne, ist alte Überzeugung. Aber was ist damit gemeint? Es ist schon schwierig mit der deutschen Sprache. Wir haben nur das eine Wort »Himmel«. Die englische Sprache hat es leichter. Ihr stehen zwei Wörter zur Verfügung: sky und heaven. So braucht sie die Menschen nicht in der Unklarheit zu lassen, in der sie unsere deutsche Sprache stehen lässt. »Sky« ist der blaue Himmel, der Himmel der Wolken und der Sterne. »Heaven« ist der Himmel, in dem die Engel wohnen, oder in dem ein Mensch lebt, der geliebt ist. Der Himmel, der die Wohnung Gottes ist oder der Zielort der Toten.

Für die alte Welt, von deren weltbildlichen Vorstellungen die Bibel geprägt ist, bestand dieser Unterschied nicht. Der Himmel wurde vorgestellt als eine starke Gewölbedecke über der Erde, an der die Sterne befestigt waren und über der der Thronsaal Gottes gedacht war und der Ort der himmlischen Heere. Für uns ist es selbstverständlich, dass wir beides klar unterscheiden. Wir wissen, dass über uns kein Himmel ist, sondern rund um uns ein in eine ungeheuerliche, abgründige Welttiefe sich dehnendes Universum. Und wir können darum wissen, dass es sich bei dem Himmel, in dem Gott wohnt, um etwas gänzlich Anderes handelt.

Was Himmel eigentlich bedeutet, wurde mir zum ersten Mal deutlich, als ich, ein junger Soldat, in einer unendlichen, schneebedeckten Ebene nachts Posten zu stehen hatte. Ich sah, wie das ganze Himmelsgewölbe sich im Laufe der Stunden über mir weiterbewegte, wie die Sterne aufstiegen und wieder in den Dunst eintauchten. Ich stand da und war das einzige senkrechte Wesen in einem unendlichen Horizont. Ich fühlte mich als die einzige Verbindung zwischen Erde und Himmel, und es verlor sich dabei viel Enges, Eingeschränktes aus meinen Gedanken.

Wenn ich heute sage, Gott sei »im Himmel«, soll das heißen: Du, den ich anrede, bist mir nahe, aber du bist mir nicht greifbar. Du bist überall, auch in mir, und bleibst mir doch ein tiefes Rätsel. Du bist mir überlegen an Wirklichkeit und an Rang. Du bist um mich her und überall, wohin ich mich wende. Du bist überall, wohin ich gehe, wohin ich aufsteige, wohin ich abstürze. »Himmel« ist eine Weise, gegenwärtig zu sein, die ich mir nicht vorstellen kann, denn ich kann mir mit meinen Sinnen und meinem Verstand ja nur vorstellen, was in den vier Dimensionen der Raumzeit angelegt ist. Aber ich komme dorther. Ich lebe aus dieser anderen Wirklichkeit. Ich werde in sie zurückkehren.

Ich sage damit aber auch etwas über Gott aus. Ich sage: Du bist kein Teil meiner kleinen Welt. Du bist anders. Ich will dich nicht so, wie ich dich mir vorstellen kann. Ich will keinen Menschengott, keinen künstlichen, in meinen Kopf passenden. Ich will, dass du bist, der du bist. Und ich will, dass mit dir das ganz Andere, das Unbegreifliche, das gewaltige Geheimnis in mein Leben hereinkommt. Du bist unabhängig von dem, was ich denke. Du bist der Unzugängliche. Und ich sage damit: Du bist über mir wie der Himmel, um mich her wie die Luft, unter mir wie die Erde und bist doch weder das Eine noch das Andere. Du bist die Kraft, die unsere ganze Welt bewegt, und willst, dass wir an deiner Kraft teilhaben und am Reichtum deiner Gedanken. Ich kann nur sagen: Steh mir bei, wenn ich zu beten versuche, denn nur so wird mir ein Gespräch mit dir gelingen statt eines Selbstgesprächs. Dann werde ich nicht mir zuhören, sondern dir. Und nur dann werde ich erfahren, dass sich Himmel und Erde an der Stelle, an der ich stehe, verbinden.

David von Augsburg, ein Franziskaner des 13. Jahrhunderts, schrieb:

»Du bist in allen Dingen,
an allen Seiten, zu allen Zeiten.
Du bist über allen Dingen,
Du bist unter allen Dingen,
alle Dinge sind auf dich gegründet.
Du bist zuinnerst aller Dinge,
denn du bist aller Dinge innerster Kern
und verborgene Kraft
und gibst ihnen ihr Wesen.
Du bist außerhalb der Dinge,
denn dich kann kein Ding begreifen
noch irgendeine Kreatur beschließen;
in dir sind alle Dinge beschlossen,
denn du bist aller Dinge Urbild
und lebendiger Bildhauer,
in dem je alles lebte,
was ist oder war oder wird.
Du bist ihr Herr, du bist ihr Diener,
du bist ihr Vater, du bist ihre Mutter,
du bist ihr Kind, du bist ihr Bruder,
du bist ihr liebender Gemahl.«

Das Heilige wiederfinden

Die sieben Bitten des Vaterunsers setzen ein mit dem Ruf nach dem Schutz für das Heilige: »Geheiligt werde dein Name.« Das Heilige wird genannt als das Erste, das Wichtigste und Größte zwischen Himmel und Erde. Es ist in Gefahr. Es gilt, die Macht Gottes, seine ganze Macht, aufzurufen, damit es gerettet wird.

Für meine Generation, die der heute Achtzig- und Neunzigjährigen, hat diese Gefährdung des Heiligen einen sehr massiven biografischen Hintergrund. Als ich zehn war, kam Adolf Hitler. Wir standen in Reih und Glied. Wir sangen, was er hören wollte. Ein Lied von Rudolf Alexander Schröder, der auch Kirchenlieder gedichtet hat, sangen wir, tief erschüttert von einem Schauer, der den ganzen Rücken hinunterlief. Es war das ganz Große, das uns ergriff, und die meisten von uns fielen in eine tiefe ideologische Narkose, bis nach sechs oder acht Jahren dem einen oder anderen ein Licht aufging:

»Heilig Vaterland, in Gefahren
deine Söhne sich um dich scharen.
Von Gefahr umringt, heilig Vaterland,
alle stehen wir Hand in Hand.

Bei den Sternen steht, was wir schwören.
Der die Sterne lenkt, wird uns hören.
Eh der Fremde dir deine Krone raubt,
Deutschland, fallen wir, Haupt bei Haupt.

Heilig Vaterland, heb zur Stunde
kühn dein Angesicht in die Runde!

Sieh uns all entbrannt, Sohn bei Söhnen stehn:
Du sollst bleiben, Land! Wir vergehn.«

Was danach folgte, war weniger heilig. Es begann mit der Knebelung des freien Nachdenkens. Es ging weiter mit der Sortierung der Menschen in die Guten und die Bösen, die Lebenswerten und die Lebensunwerten. Es bildete sich ein immer undurchsichtigeres Gemisch aus großen Worten, aus sklavischem Gehorsam, aus Betrug und Lügen und endete in der Monstrosität nie gekannter Verbrechen. Kann man es uns übel nehmen, wenn wir bis heute eine heilige Scheu haben, das Wort »heilig« in den Mund zu nehmen? Viele gerade von uns Theologen haben danach nie mehr deutlich davon sprechen können. Das Heilige war ein Tabuwort. Wir nehmen es heute wieder auf, vorsichtig es schützend gegen die tausend Formen seines durch die lange Geschichte sich hindurchziehenden und heute neu verbreiteten Missbrauchs.

»Geheiligt werde dein Name«, sagen wir. Damit meinen wir: Wir sind nicht die Leute, die die Heiligkeit Gottes schützen könnten. Darum schütze du, Gott, selbst die Heiligkeit, die dir eigen ist! Vielleicht können wir dann an unserem Teil sie auch ein wenig in Schutz nehmen. Aber was meinen wir mit dem »Namen«? Gott hat ja keinen Namen wie Herr Müller oder Frau Meier. Er ist Gott. Alle Namen, die wir in den Mund nehmen können, spiegeln unsere menschlichen Vorstellungen. Nicht einmal Mose, als er Gott nach seinem Namen fragte, bekam eine Auskunft. Ihn verwies Gott auf eine Selbstbezeichnung, die bis heute niemand wirklich deuten kann, die lautete: »Ich bin, der ich bin«, oder: »Ich werde sein, der ich sein werde«, oder: »Ich bin.« Punkt. Kein Name.

In der Zeit, als Israel in der Wüste wanderte, sprach der Betende Gott mit dem Namen »Jahwe« an. Und so wurde er auch aufgeschrieben. Wenn aber später einer, der in der Bibel las, diesem Namen Gottes begegnete, sprach er ihn nicht aus, sondern er sagte stattdessen »Herr«. Er vermied die Nennung des Namens, weil er fürchtete, ihm schon damit seine Heiligkeit zu nehmen.

Was aber war die Bedeutung irgendeines Namens? Der Name war mehr als eine Bezeichnung. Er enthielt vielmehr seinen Träger mit allem, was ihn ausmachte. Der Name enthielt die Person. Wer den Namen eines anderen nennen konnte, gewann eine Art magischer Macht über ihn. Das Rumpelstilzchen unseres Märchens hat solange Macht, als niemand seinen Namen weiß. In dem Augenblick, in dem die Königin ihn nennen kann, ist es am Ende und »reißt sich selbst mitten entzwei«. Wie sollte ein Mensch irgendeine noch so geringe Macht über Gott gewinnen wollen? Die Götter anderer Religionen wurden bei ihren vielen Namen angerufen. Mit ihnen war ein Machtspiel und ein Handel möglich. Sie agierten darum immer auch auf der Ebene menschlicher Wünsche. Dazu kommt, dass das Wissen um den Namen und die Nennung des Namens nicht nur Macht gibt, es enthüllt auch das Wesen dessen, der ihn trägt. Wer den Namen weiß, kann ihn bloßlegen und verletzen. Wenn der Fromme des Alten Testaments den Namen Gottes nicht aussprach, sondern nur indirekt von »seinem Namen« redete, so meinte er, es komme darauf an, das Wesen und die Würde Gottes gegen jeden, auch den eigenen Zugriff zu schützen. Wer also diesen Namen schützt, legt seine Hände um das Wesen Gottes, wie er es bei einem Menschen tut, den er liebt.

Angesichts all dessen können wir die Erfahrung nicht übergehen oder vergessen, die wir in der Sozialgeschichte der letzten hundert Jahre in überreichem Maß machen konnten, dass nämlich in dem Augenblick, in dem das Heilige nicht mehr unantastbar in der Mitte des Menschendaseins bewahrt wird und in dem sich etwas anderes Höchstes, ein anderer Spitzenwert oder Spitzenbegriff an seine Stelle setzt und sich selbst für heilig erklärt, also seine Huldigung fordert oder erzwingt, die Würde des Menschen verloren geht. Zwang, Drohung, Gefangenschaft der Gedanken und der Seelen treten an ihre Stelle. Weh dem, der Anderes will! Was aber dem neu aufgerichteten Heiligen gegenüber nicht mehr statthat, ist eben das, was die Bibel über die Beziehung zum heiligen Gott sagt: nämlich Vertrauen, Geborgenheit, Begegnung, Gespräch, Empfang von einströmender Güte und Kraft.

Das kann so weit gehen, dass der Name überhaupt unerheblich wird. In den Bedingungen eines Konzentrationslagers wird er, wie Alfred Delp berichtet, überhaupt nicht mehr genannt. An seiner Stelle trägt der Mensch eine Nummer. Heute können wir von den bisherigen Fortschritten der Informationstechnik her durchaus ahnen, was irgendwann und vielleicht in naher Zukunft als Gefahr auftreten und was uns vermutlich als unerhörter Fortschritt beschrieben werden wird: dass unsere Personennummer ausreicht, um jeden von uns zu kennzeichnen und aus Milliarden Menschen heraus zu bestimmen. Was an ihm wichtig ist, wird jedermann über einen Klick zugänglich sein. Was wir endlich von uns gestreift hatten, Uniformen, Lebensregeln, einengende Überlieferungen, könnte nichts gewesen sein gegenüber dem entsetzlichen Zwang der Entpersönlichung, die uns möglicherweise bevorsteht. Was wir verlieren könnten, sind unser eigenes Gesicht, unser eigenes Wort und unser eigener Name. Vielleicht oder gewiss wird am Ende die Rettung unserer Würde davon abhängen, ob wir endlich wieder begreifen, dass es einen Gott gibt, den wir anreden können und der unseren Namen weiß. Dag Hammarskjöld, der frühere Generalsekretär der Vereinten Nationen, sagt es so:

> »Gott stirbt nicht an dem Tag,
> an dem wir nicht mehr
> an eine persönliche Gottheit glauben,
> wir aber sterben an dem Tag,
> an dem unser Leben nicht mehr durchstrahlt ist
> von dem stets neu geschenkten Glanz
> des Wunders,
> den Lichtquellen jenseits aller Vernunft.«

Es ist eine der uralten, gleichwohl unnützen Fragen der Menschheit, ob ein Gott sei. Man kann über sie streiten oder seine einsamen Lösungen und Antworten versuchen und das bis ans Ende der Welt. Eine andere Frage aber hat mehr Sinn als die Frage nach der Existenz oder der Anwesenheit Gottes. Sie sucht nach einer Antwort darauf, ob wir Menschen fähig seien, vor Gott anwesend zu sein. Das heißt: ob wir der Würde entsprechen könnten, die Gott uns mitgegeben hat. Denn diese erste Bitte, Gottes Name möge vor Zugriff und Missbrauch, vor Banalisierung und Vergleichgültigung geschützt sein, meint nicht nur die Sorge um Gott, sondern auch die Sorge um den Menschen. Entweihung, Missachtung, Fälschung mögen, sagen wir damit, nicht nur am Namen Gottes nicht geschehen, sondern auch nicht am Namen des Menschen. Wir mögen also davor bewahrt werden, große, auch wirklich große Dinge wie Heimat, wie Liebe, wie religiöse Bräuche oder Verfassungen mit der Heiligkeit Gottes zu verwechseln. Wir mögen der Heiligkeit, der unüberbietbaren Würde Gottes in unserem Gewissen Gewicht geben, in unseren Gedanken Klarheit, in unserem Herzen Größe und Fülle. Er möge uns spürbar werden wie die Luft, wie die Farben der Dinge, hörbar wie die Stimme eines Menschen. Er möge uns in den weiten Raum seiner Nähe und Gegenwart herein Einlass gewähren.

Aber nun spitzt sich unsere Frage zu: Wer trägt denn zur Entweihung des Namens Gottes am meisten bei? Sind es nicht die, die berufen sind, die Heiligkeit Gottes in diese Welt der Sichtbarkeit hereinzubitten? So werfen die Propheten gerade Israel, das doch mit Gott auf so einzigartige Weise verbunden war, vor, gerade dieses Volk sei es, das Gottes Namen in den Augen der Völker um seine Würde bringe:

> »Ich will meinen großen Namen,
> dem ihr seine Heiligkeit genommen habt,
> wieder heilig machen.
> Ich will an euch zeigen, dass ich heilig bin.«
> EZECHIEL 36,22–23

Die Klage des Ezechiel meint, sein Volk habe in seiner religiösen Schludrigkeit mit seinen vielen auswechselbaren Göttinnen und Göttern den Namen Gottes in den Augen fremder Völker geschändet, das heißt, ihnen Anlass gegeben, über Gott zu lachen, zu spotten oder ihre intellektuellen Spielchen zu spielen. Das aber ist nun ein Punkt, den wir Christen uns tunlichst zu Herzen nehmen. Wer hat denn in den letzen Jahrzehnten einer sich ausbreitenden Gottlosigkeit den Namen Gottes am entbehrlichsten gemacht? Ich fürchte, es waren nicht die Kritiker, nicht die Zyniker, nicht die Spötter. Es waren nicht die Nietzsches, nicht die Häckels, nicht die Sartres, nicht die Atheisten, nicht die Materialisten, nicht die Marxisten. Ich fürchte, es waren die unter den Christen, die die Herrlichkeit Gottes mit der Herrlichkeit ihrer Kirche verwechselt haben, die Autorität Gottes mit der Autorität festlicher Talare, die Wahrheit Gottes mit dem, was sie dafür hielten. Ich fürchte, nein, ich bin überzeugt, dass niemand die Unantastbarkeit Gottes so gründlich dem Gespött ausgeliefert hat wie es den Kirchen gelang, den Christen.

Und so heißt es nun: »Geheiligt werde dein Name!« Durch wen soll diese Heiligkeit Gottes nun wieder ihren Schutz empfangen? Denen das gelingen soll, die können bei all ihrem guten Willen nicht wir sein, nicht die Kirche, nicht wir Christen. Gott selbst muss es sein, der seinen Namen heilig macht, ein Anderer kann es nicht. Wenn er es tut, dann wird es für uns alle zum Heil sein. Martin Buber sagt:

»Gott: Es ist das beladenste aller Menschenworte!
Keines ist so besudelt, so zerfetzt worden.
Gerade deshalb darf ich nicht darauf verzichten.
Die Geschlechter der Menschen haben die Last
ihres geängsteten Lebens auf dieses Wort gewälzt
und es zu Boden gedrückt.
Es liegt im Staub
und trägt ihrer aller Last.«

Dass Gott unsere Last trägt, dass Christus unsere Schuld aufhebt damit, dass er sie auf sich nimmt, das ist der Anfang der Heiligung dieses Namens. Danach aber werden wir berufen sein, dieses zu Boden gedrückte Wort aufzuheben mit der Kraft, die wir von Gott empfangen, hoch über uns hinaus. Und wir werden eben dabei selbst unsere aufrechte Gestalt gewinnen. Wenn einer also von Gott spricht, dann muss dieses Nennen Gottes so geschehen, dass es einen Menschen tröstet, ihn stiller macht, ihm Geduld gibt, Lebenskraft und Zuversicht. Denn der Name Gottes ist das Haus, in dem wir leben.

Eine Geschichte erzählt Jesus: Zehn junge Frauen sind zur Hochzeit geladen. Lampen bringen sie mit, um den festlichen Saal zu erleuchten. Das ist ihr Gastgeschenk. Aber fünf von ihnen denken nicht an die lange Zeit des Wartens und die lange Zeit des Festes. Sie nehmen kein Öl mit. So verlöschen die Lampen, ehe der Bräutigam die Tür öffnet. Während sie weggehen, Öl zu holen, kommt der Bräutigam. Die fünf, deren Lampen brennen, werden eingelassen, die fünf anderen kommen spät in der Nacht und stehen vor der verschlossenen Tür. Das Fest aber hat längst begonnen (Mattäus 25,1–13).

Wir standen in einer alten Kirche und suchten den Abstieg in die Krypta. Gebückt stiegen wir die lange, verwinkelte Treppe hinab wie in einen Schacht. Kühle Luft drang uns aus der immer tieferen Dunkelheit entgegen. Und dann öffnete sich uns ein zauberhafter, kreisrunder Raum. Ein doppelter Kranz mannshoher Säulen unter einem rohen Gewölbe stand wie ein Kreis schweigender Menschen um eine fast dunkle Mitte. Wir traten unwillkürlich neben sie und waren, ehe wir darüber nachdachten, ein Teil dieses Raums, der so unerhört schweigt und horcht und wartet. Denn Warten heißt nicht, etwas tun oder sagen. Es heißt sein. Die Verzauberung löste sich nach wenigen Augenblicken. Aber der Raum wartet weiter. Stellvertretend für eine beschäftigte Christenheit. Und er sagt uns: So ganz und gar, so vollständig, so ungeteilt sollt ihr vor Gott gegenwärtig sein, wartend und empfangend, die euch anvertraute Heiligkeit Gottes in den Händen. Ein zeitgenössischer Dichter, Manfred Ach, schildert, was da geschieht, so:

»Die großen Worte
verbrennen wie Zunder
vor deinem Wort.

Die Totenvögel
stellen ihre Klagen ein.
Sperrstunde für den Rummelplatz
galaktischer Verschwörer.
Funkstille.

Aus den Regalen stürzen die Philosophien
und schlagen noch ein letztes Mal
mit Buchdeckeln nach dir.

Dann fällt, wenn alles
vorüber ist, in die Stille
dein Wort.«

Es ist nur eine leise Aufforderung zur Sammlung unserer Gedanken und unserer Herzen, wenn das Vaterunser beginnt mit der Bitte um die Heiligkeit Gottes und ihren Schutz. Es kann für die Kirche durchaus die Zeit kommen, in der sie sich nicht mehr in den weiten und hohen festlichen Kathedralen versammelt, sondern hinab verwiesen ist in die tiefen, verborgenen Keller unter der mächtigen Architektur. Und es kann für uns alle durchaus die Zeit kommen, in der wir von unserem geschäftigen Treiben und unserem Rennen nach dem Glück und dem Erfolg hinab verwiesen werden in den Grund unserer Seele. Eine Zeit, in der es der Würde des Menschen, der Heiligkeit der Welt, und dem, der beides stiftet, dem heiligen Gott, wieder zu begegnen gilt. In der wir die heiligen Räume wieder aufsuchen, die heiligen Zeiten feiern, die heiligen Wege begehen, die heiligen Orte wiederfinden, den heiligen Überlieferungen nachspüren. Es zeichnet sich in unseren Jahren deutlich ab.

Vielleicht stehen wir eines Tages in einer solchen Krypta zwischen den Säulen, oder vielleicht denken wir uns nur, wir stünden dort. Dann können wir etwa so sprechen, um der Heiligkeit Gottes in uns selbst Raum zu schaffen:

In dir sein, Gott, das ist alles.

Das ist das Ganze, das Vollkommene,
das Heilende.
Die leiblichen Augen schließen,
die Augen des Herzens öffnen
und eintauchen in deine Gegenwart.

Wir holen uns aus aller Zerstreutheit zusammen
und vertrauen uns dir an.
Wir legen uns in dich hinein
wie in eine große Hand.

Wir brauchen nicht zu reden, damit du uns hörst.
Wir brauchen nicht aufzuzählen, was uns fehlt,
oder dir zu sagen, was in dieser Welt geschieht
und wozu wir deine Hilfe brauchen.

Wir wollen nicht den Menschen entfliehen.
Den Lärm und die Unrast
wollen wir nicht hassen.
Wir möchten sie in unser Schweigen aufnehmen
und für dich bereit sein.

Stellvertretend möchten wir schweigen
für die Eiligen, die Zerstreuten, die Lärmenden.
Stellvertretend für alle, die keine Zeit haben.
Mit allen Sinnen und Gedanken warten wir,
bis du da bist.

In dir sein, Gott das ist alles,
was wir uns erbitten.
Damit haben wir alles erbeten,
was die Menschen von uns brauchen
und was uns selbst das Leben gibt
für Zeit und Ewigkeit.

Die Zukunft ins Auge fassen

Der Ruf, mit dem das Vaterunser fortfährt, »Dein Reich komme!«, ist in den 2000 Jahren der christlichen Geschichte nie verstummt, und immer schwang in ihm die Angst, das Elend, die Verzweiflung mit, die die Menschen unter der Gewalt von Mächten und der Arroganz von Mächtigen zu erleiden hatten. Immer war es ein Schrei nach Erlösung. Immer war es ein dringender Ruf nach Gerechtigkeit in den Staaten, nach Frieden zwischen den Völkern und auch ein Ruf zur Reform der Kirche. Angesichts von Gewalt, Lügen und Irrtümern brach immer wieder die Sehnsucht auf, es möge irgendwann und zwar bald die große Umkehrung der Machtverhältnisse auf dieser Erde eintreten. Visionen einer besseren Zukunft, Träume und soziale Utopien drückten sich in dieser Bitte aus. Gott, so riefen unzählige Einzelne, aber auch ganze Völker möge endlich die Herrschaft ergreifen und sie nicht länger den Machthabern dieser Erde überlassen. Es war für unendlich viele ein Bild, wie die Zukunft erträglich würde, wenn die unerträgliche Gegenwart vorübergegangen sei.

Für uns, vor allem für Menschen meiner Generation, ist damit freilich erneut eine große Schwierigkeit verbunden. Für uns Deutsche bleibt das Wort vom »Reich« belastet. Haben wir nicht von ihm, dem Deutschen Reich, das Heil erhofft, und ist, nachdem es wirklich geworden war, nicht unsäglicher Schrecken von ihm ausgegangen? Und was soll uns überhaupt ein »Reich«? Eine politische Macht, an der Spitze ein Kaiser oder Führer, die ihre Macht sichern und vergrößern müssen und für die ganze Generationen hingeschlachtet werden wie zweimal im vergangenen Jahrhundert? Wir sind gebrannt. Können wir das, was Jesus das »Reich Gottes«, das »Königtum Gottes« nennt, überhaupt noch so nennen? Vielleicht müssen wir viel schlichter von der wirksamen, erlösenden Nähe und Gegenwart Gottes reden.

Immer haben Menschen ihre Reiche gegründet, ihr eigenes Reich gepriesen und andere Reiche verteufelt. Haben Kriege geführt gegen die Reiche anderer. Unzählige Herrscher, Helden und Feldherren fallen uns ein von Nebukadnezar über Caesar, Napoleon bis Hitler, und wir dürfen damit rechnen, dass uns auch die weitere Zukunft der Menschheit solche Art Helden und solche Art Reiche bescheren wird und die Menschen von jedem von ihnen das Glück und das Heil erwarten werden. Aber wir haben auch andere Reiche, die auf ihre Grenzen bedacht sind und sie bewachen. Das Reich der Wirtschaft. Das Reich der Kultur. Das Reich der Wissenschaft. Wir reden davon, der einzelne Mensch baue sich sein kleines Reich rund um sein Häuschen. Nein, das Wort »Reich« ist für das, was wir von der Nähe und wirkenden Gegenwart Gottes erhoffen, einigermaßen unbrauchbar geworden. Und leben wir nicht zu alledem auch noch in einer Phase unserer deutschen und abendländischen Geschichte, in der alle Utopien von der besseren Zukunft widerlegt, erloschen, verbraucht sind? Niemand nennt uns heute ein Ziel, auf das hin die geistige Entwicklung in unserem Land oder auf unserem Erdball sich ausrichten soll. Ungeheure soziale und politische Aufgaben liegen allenthalben herum. Keine einzige wird bislang gelöst. Mit routinierter Phantasielosigkeit, resigniert und große Worte redend managt man auf allen Seiten den Augenblick. Nichts wäre so wichtig wie eine Vision von dem, was werden soll und werden kann. Aber wer hat sie? Wem fällt sie ein?

Wenn Jesus vom Reich Gottes spricht, dann beginnt er seine Reden immer wieder mit dem Wort »Siehe!« Das hört sich betulich an. Aber es meint etwas sehr Klares: Tu die Augen auf! Schau hin! Schau noch genauer hin! Du wirst etwas wahrnehmen, an dem dein Leben hängt. Etwas, das anders ist als was du kennst. Die neue, andere Erde. Die neue, andere Welt. Denn davon ist unzureichend geredet, wenn man sie als Utopie bezeichnet. Wenn wir von Utopien reden, dann meinen wir: Diese Gedanken haben noch keinen Ort in der Wirklichkeit. »Utopie« heißt »ohne Ort«. Man hat solche Zukunftsbilder von jeher gerne mit Träumen verwechselt und mit Phantasien, die eher aus der Wirklichkeit hinausführen als in sie hinein. Aber echte Utopien haben den Sinn zu zeigen, in welche Richtung die Wirklichkeit zu verändern sei. Gerechtigkeit für die Arbeiterklasse war zu Zeiten von Karl Marx eine Utopie. Aber über lange Zeiten des Streites hin hat sie unsere Welt nachhaltig verändert. Zu Zeiten Immanuel Kants war die Vorstellung vom »ewigen Frieden« ein belächelter Gelehrtentraum. Heute erkennen wir in ihr die einzige Chance zu einem Überleben der Menschheit. Zu allen Zeiten haben Menschen sich Utopien vor Augen gestellt, haben sie in Dichtungen nachgezeichnet oder in religiösen Aufrufen unter die Menschen geworfen. Und ihnen nach hat sich die Wirklichkeit langsam verändert oder auch in Revolutionen plötzlich umgestaltet. Ob es die Freiheit der Rede war, die politische Gleichheit der Bürger, das Recht auf freie Religionsausübung, eine neue Kunstrichtung oder die Freizügigkeit zwischen den Ländern. Mit etwas wie einem Traum fängt es an, und am Ende verändert nichts die Wirklichkeit so gründlich, wie der Traum es tut. Wer nicht hinschaut und zwar genau, wenn er eine Utopie wahrnimmt, ist kein Realist. Aber das Reich Gottes ist darüber hinaus mehr als eine Utopie. Es ist eine Spiegelung einer schon bestehenden Wirklichkeit.

Was Jesus mit dem Reich Gottes meint, das spielt auf vielen verschiedenen Ebenen und ist doch eine einzige Wirklichkeit. Er sagt: Das Reich Gottes wächst aus kleinen Anfängen leise und geduldig heran, wie etwa ein Weizenkorn im Acker liegt, aufbricht und hinaufwächst. Aber er sagt auch: Das Reich Gottes bricht plötzlich und mit Urgewalt in diese Welt ein.

Er sagt: Es nistet sich, kaum wahrnehmbar, in einen Menschen ein, der sich von ihm erfüllen lässt. Er sagt aber auch: Es formt sich in den äußeren Verhältnissen durch und prägt das gemeinsame Leben der Menschen ganz und gar um. Wir hören: Es gedeihe dort, wo ein Mensch wach wird für die Stellen, an denen die Welt zu verändern ist, wo er zugreift, ein Schicksal übernimmt und eine Aufgabe. Wir hören, es nehme Gestalt an in einer Gemeinschaft von Menschen und mache sie zum Wirkraum Gottes. Wir hören aber auch, das Reich Gottes sei ein Bild für den künftigen Weltzustand, der sich einstellt, wenn Gott die Zerrissenheit, die Widersprüchlichkeit dieser Welt beendet und etwas Neues schafft.

Wir hören: Das Reich Gottes ist nahe. Wir hören auch: Es ist schon da! Wir sollen aber auch bitten: Dein Reich komme! Wann also verwirklicht sich das Reich? Heute oder später?

Jesus sagt: Kein Mensch ist fähig, das Reich Gottes zu finden. Er mag sich bemühen wie er will. Er sagt ein andermal: Sorge dafür, dass du ins Reich Gottes kommst! Es liegt in deiner Hand.

Einmal spricht Jesus so, als solle sich diese ganze sichtbare Welt, die sich um ihn her austobt, verwandeln in das Reich Gottes. Ein andermal sagt er: Mein Reich ist nicht von dieser Welt! Für unseren kleinen Kopf passt das nicht zusammen.

Aber noch einmal von vorn. Vielleicht können wir doch fassen, in welcher Gestalt es uns denn begegnen will. Ich finde sieben solcher Gestalten des Gottesreiches.

Eine erste deutet Jesus an, wenn er sagt: Kein Sperling fällt vom Dach, kein Haar fällt von eurem Kopf, wenn euer Vater es nicht will. Dass die Blumen so wunderschöne Kleider haben, liegt daran, dass es Gott ist, der sie gestaltet. Dass die Vögel Nahrung finden, liegt darin, dass Gott sie ihnen bereitstellt. Das ganze Gewebe des Lebendigen und des Unorganischen, das wir mit Natur bezeichnen, vom Regenwurm im Acker über den Bazillus bis zur letzten Milchstraße ist durchwirkt von seinem Geist. Es ist das Gebiet seiner Gegenwart. Seiner Herrschaft. Es ist sein Reich. Kein Grashalm wächst ohne seinen Geist. Alles, was ist, ist erfüllt von einer ungeheuren Dynamik, und mir will scheinen, diese Dynamik von Weltentstehung, Weltentwicklung, Weltende und vielleicht Weltneubeginn sei das Wirkungsfeld der Kraft Gottes. Sein Reich. Und du, Mensch, bist in ihm zu Hause. Du bist behütet.

Eine zweite Gestalt. Jesus spricht von einer Wirklichkeit, die nicht mit Augen wahrzunehmen ist. Er spricht von »Engeln«, er deutet an, dass es Kräfte in der Welt gebe, die unsichtbar mitwirkten an der Realisierung von Gottes Willen. Und das ist uns heute klarer als es früheren Generationen war: dass unsere Welt größer ist als wir mit unseren Sinnen und unserem Verstand erfassen. In und hinter der Welt der sichtbaren Dinge ist wiederum Wirklichkeit, unseren Sinnen abgewandt. Die umgibt und durchdringt die Welt unserer Wahrnehmung, leuchtet durch sie hindurch, und wir ahnen Dimensionen der Wirklichkeit, die wir erst erfahren werden, wenn wir den Schritt über die Schwelle unseres Todes gegangen sind. Und ist diese Wirklichkeit nicht wie ein zartes Gewebe, das sich dem achtsamen Auge durchzeichnet durch die gröbere Struktur der Dinge? Denn es ist viel offener Raum in unserer Welt, und auf das weite Gottesreich schaffender Kräfte zu achten heißt gewiss auch, offen zu sein zu allem hin, was an Geheimnisvollem und Wunderbarem begegnen will, ob es sich unserem kleinen Menschenverstand erklärt oder nicht.

Eine dritte Gestalt des Reiches Gottes. Jesus sagt: Das Reich Gottes ist wie ein Samenkorn, das in dich, Mensch hineinfällt. Du bist der Acker, an dem es aufwachsen soll. Du bist der Ort, an dem es entsteht. Es ist innen in dir. Er sagt: Ich bin das Licht der Welt. Indem du glaubst, bist du selbst auf eben dieselbe Weise ein Licht der Welt. Du bist Reich Gottes, indem du das Licht spiegelst, das aus Gott ist.

Aber weiter: Das Reich Gottes wächst unter euch dort, wo ihr lebt und durch die Art, wie ihr miteinander umgeht. Wo der zusammengeschlagene fremde Mensch an der Straße zwischen Jerusalem und Jericho gefunden, gesehen, aufgenommen, versorgt und mit Güte umgeben wird, da wächst unter euch das Reich Gottes. Da geschieht Gottes Wille. Da bestimmt sein Wille, was geschieht. Wir können ja nicht vom Reich Gottes reden und das Elend vergessen, das rund um unsere Erde erlitten wird, vergessen auch, dass Jesus sagt, wo gelitten werde, leide er selbst, und wo wir helfen und retten, sei er selbst gegenwärtig. Reich Gottes in diesem Sinn ist die energische Bewegung weg von uns selbst und hin zum anderen Menschen und zum gemeinsamen Leben, hin zu mehr Gerechtigkeit und mehr Frieden, zu mehr Güte.

Noch mehr. Jesus sagt: »Wo zwei oder drei zusammenkommen, weil ich sie gerufen habe, da bin ich mitten unter ihnen.« Es entsteht also eine besondere Gemeinschaft, die wir die Kirche nennen und die wie ein Entwurf auf das kommende Reich Gottes hin leben soll. Es mag uns manchmal scheinen, ein solcher Entwurf zu sein, dafür eigne sich unsere Kirche sehr wenig, aber doch ist ihr aufgetragen, mit allen Kräften von jenem Reich zu reden und Wege zu suchen für den Frieden, die Gerechtigkeit und die Schönheit des Menschenlebens, die Jesus gemeint hat, wenn er vom »Reich« sprach. Rudolf Otto Wiemer, der Dichter, träumt von der Zukunft, die die Kirche im Auge behalten soll, und schreibt einen »Entwurf für ein Osterlied«:

»Die Erde ist schön, und es lebt sich
leicht im Tal der Hoffnung.
Gebete werden erhört. Gott wohnt
nah hinterm Zaun.

Die Zeitung weiß keine Zeile vom
Turmbau. Das Messer
findet den Mörder nicht. Er
lacht mit Abel.

Das Gras ist unverwelklicher
grün als der Lorbeer. Im
Rohr der Rakete
nisten die Tauben.

Nicht irr surrt die Fliege an
tödlicher Scheibe. Alle
Wege sind offen. Im Atlas
fehlen die Grenzen.

Das Wort ist verstehbar. Wer
Ja sagt, meint Ja, und
ich liebe bedeutet: jetzt und
für ewig.

Der Zorn brennt langsam. Die
Hand des Armen ist nie ohne
Brot. Geschosse werden im Flug
gestoppt.

Der Engel steht abends am Tor. Er
hat gebräuchliche Namen und
sagt, wenn ich sterbe:
Steh auf.«

Denn das ist ja das Entscheidende: Das Reich Gottes ist noch nicht Gegenwart. Es ist Zukunft. Wenn wir über dieses Leben auf der Erde hinaussehen, hinüber in jene größere Welt, die uns aufnehmen wird, so werden wir ins »Reich Gottes« eintreten. Unser Weg über den Tod hinaus wird ein Weg von Heimkehrenden sein.

Und noch eine siebte Gestalt haben wir vor Augen. Von der äußersten Zukunft redet Paulus mit den Worten: Am Ende, wenn die Welt vergangen und der Tod nicht mehr sein wird und kein Leid mehr, dann wird Christus das Reich Gott, dem Vater, zurückgeben, »auf dass Gott alles in allem sei«. Da hört die Geschichte auf, da hört die Schöpfung auf, da hört die Zeit auf. Da müssen wir einander nichts mehr erklären und werden erkennen, dass wir es von Anfang an im Grunde immer nur mit Gott zu tun hatten in seinen vielen Gestalten. Auch in Jesus Christus. Und da gehen wir mit Christus zusammen in Gott ein und sind in ihm alles in allem. Gott spricht, und es entsteht eine Welt. Er spricht, und sie vergeht. Er aber bleibt, und wir bleiben in ihm. Das Gottesreich also wird am Ende nichts sein als Gott selbst und das All in ihm. Ist das Gottesreich aber vorstellbar in solchen Bildern, dann gibt es für die bedrohte Erde und Menschheit eine Rettung, eine Zukunft.

Ich schaue also das Reich in seinen sieben Gestalten, nahe bei mir, fern von mir, in mir, um mich her, mir gegenüber. Ich sehe es mit den leiblichen Augen, mit den Augen des Geistes, mit den Augen der Seele. Mit den Augen der Liebe und der Hingabe. Mit den Augen der Hoffnung und der Anbetung. Wie also kann ich das Ganze und das Eine in meinen kleinen Händen halten, so dass es mir nicht zu klein gerät? Spiegelt es sich nicht in mir selbst? Finde ich nicht alles, was ich vom Reich Gottes gesagt habe, in mir selbst wieder, wenn ich bedenke, was Gott mit mir gemeint hat, als er mich in die Welt stellte, und was Gott aus mir machen wird am Ziel und Ende dieses Lebens? Ist Reich Gottes nicht auch die Zielgestalt meiner selbst, die ich dankbar und behutsam beschreibe?

Reden wir in diesem Buch nun über das Gebet, so werden wir sehen, dass alle diese sieben Aspekte auch Aspekte des Gebets sind. Ist das Gebet Ausdruck eines Traums? Ist es Flucht aus der Welt? Oder ist es die Innenseite auch einer politischen Praxis? Ist es der Zugang zu unserer eigenen Innenwelt? Oder bezeichnet es den Überschritt von uns selbst zu Menschen, Problemen, Wirklichkeiten, Auseinandersetzungen? Ist es die Kraft, mit der wir uns abschirmen, oder die Kraft, mit der wir die Welt verändern? Oder ist es all das zusammen und zugleich?

Was also sage ich über mich selbst und über mein Gebet, wenn ich diese sieben Gestalten des Reiches vor Augen habe? Ich sage:

Ich bin Schöpfung, lebendiges Wesen zusammen mit allen Geschöpfen Gottes. Geist bin ich, Teilhaber des unsichtbaren Reiches. Nicht vom Brot allein lebe ich, sondern von einem jeden Wort von Gott, das ich höre und empfange.

Ich bin ein Bewohner zweier Welten. Oder besser: Ich bewohne eine Welt, die ich wahrnehme, und eine, die mir verborgen ist. In Wirklichkeit aber ist beides zusammen die eine Welt, von der mir eben nur ein kleiner Teil sichtbar ist.

Meine Seele ist tiefer, als ich selbst von ihr weiß. Tief ist die Quelle, aus der Gott in mir – zu mir – spricht.

Ein Ich, ein Du bin ich. Unter Menschen lebe ich. Ich leide mit ihnen und finde in ihnen und mir Gottes Reich.

Ein Verehrender bin ich im Kreis der Kinder des Geistes. Hörender und Antwortender im großen Gespräch der Jahrtausende und in der Gegenwart aller Anbetenden rings auf der Erde.

Ein Wartender bin ich, ein freier Mensch, den die Zeit nicht bindet. In die Zukunft schaue ich, hoffend, träumend, und weiß: Ich werde sein. Die Welt wird sein. Alles wird gut.

Dies alles, was ich bin, bin ich aus Gott. Wenn Gott alles sein wird in allem, werde ich eins sein in mir und eins in ihm selbst.

Und so halte ich die sieben Gestalten des Reiches zusammen in der Hand, in der kleinen Hand des Menschen, der ich bin.

Aber dabei gewinnt mein Leben ungeheuer an Raum. Die Enge, in der ich zu leben habe und unter der ich oft genug leide, wird unwichtig. Sie wird gesprengt. Meine Welt wird groß. Und mit meinem Gebet wende ich mich an den, der mich kleines Teil seiner Welt liebt und schützt und dem ich mich anvertrauen kann. Ich bin nicht entbehrlich. Ich habe einen sinnvollen Auftrag. Ich bin frei von allen Machtansprüchen irgendwelcher Herren oder Herrinnen. Ich bin mehr, als ich von mir selbst wahrnehme. Ich bin, weil Gott mich liebt, heilig.

Was also soll ich tun? Jesus sagt mir: Überall, wohin du gehst, kann Gottes Reich Gestalt finden. Du lebst in einem Haus des Streits, in einer Menschheit voll Gewalt und Krieg. Stifte den kleinen Frieden, der dir gelingt, so wird Gott mit dir sein. Du lebst in einer Umwelt voller Unrecht. Schaffe an irgendeiner Stelle ein wenig Gerechtigkeit, und du bist mitten im Reich Gottes. Du lebst unter verängstigten, leidenden, sich mühenden Menschen. Stifte ein wenig Nähe, und Gott ist dir nahe. Du lebst auf einer Erde, deren Leben unter den Menschen zugrunde geht, geh an irgendeiner Stelle mit ihr sorgfältiger um, und sie wird dir zur Erde Gottes werden. Geh dem entgegen, was kommen will, sagt mir Jesus. Bereite das Kommende vor. Gib ihm Raum. Deine Kraft und Phantasie sind nötig. Nimm es nicht hin, dass du selbst immer auch beteiligt bist am Unrecht, am Unfrieden, an den Ursachen für das Leiden von Menschen und das Leiden der Schöpfung, und bitte Gott, er möge dich deiner Zielgestalt, dem Bürger des Reiches Gottes, entgegenführen.

Und sei dir zugleich klar darüber, dass du nicht der Retter und Erlöser der Menschheit bist. Dass das Reich Gottes nicht durch dich kommt, sondern allein durch Gott und wann Gott es will. Das Reich, in dem alle Angst der Kreatur aufgehoben ist, in dem die Sehnsucht des Menschen erfüllt sein wird, kann nur im Gebet zu uns herübergerufen werden. So, dass wir sagen: Gib deinem Reich endlich Gestalt und Kraft auf diese Erde! Denn es geht ja nie nur um uns selbst, sondern immer um das Ganze. Wir sagen im Vaterunser ja nicht: Lass uns in den Himmel kommen! Sondern: Lass dein Reich kommen, auch zu uns auf dieser Erde, und vollende diese Welt zu deinem Reich!

Wenn uns aber die Welt allmählich durchscheinend wird auf das Reich Gottes hin – und das ist der Sinn unseres Glaubens –, dann gilt das kühne Wort von Jakob Böhme:

»Mach die Augen auf!
Du wirst sehen:
die Welt ist von Gott erfüllt.«

Den eigenen Willen klären

Seltsam: Wenn Gott etwas will – so sollte man denken –, dann geschieht es. Dann geschieht es immer und auf jeden Fall, es sei denn, unser Glaube, dass Gott der Herr der Welt sei, gehe in die Irre. Wenn er der ist, der die Fäden des Geschehens in dieser Welt in der Hand hat, dann geschieht sein Wille überall, wohin wir den Fuß setzen, wohin wir immer denken können, auch über unser kleines Ende hinaus, in Räumen und Dimensionen, die uns verborgen sind.

Dennoch sagt Jesus, wir sollten darum bitten, dass sein Wille sich durchsetze. Denn die einzige Stelle, soweit wir wissen, an der die Gefahr aufkommen kann, dass etwas Anderes geschieht als was Gott will, liegt ja im Umkreis von uns Menschen, dann nämlich, wenn wir ihm unseren eigenen Willen entgegensetzen. Gott hat uns ein seltsam weitreichendes Maß an Freiheit gegeben, und so geschieht sein Wille nur dort, wo wir ihm Raum geben. Wo immer wir in den Gang der Dinge, den Gang der Geschichte auf dieser Erde eingreifen, kann geschehen, was Gott nicht will. Die Weltgeschichte im Kleinen und im Großen ist der jahrtausendealte Beweis. Unsere Erde aber kann dabei zu einem Ort des Schreckens werden, zu einem heillosen Ort des Grauens. Darum liegt in dieser Bitte nicht nur ein leiser Wunsch, sondern ein Hilfeschrei: Lass doch, bitte, gegen alles Wollen und Machen von uns Menschen, mitten in Unrecht und Brutalität geschehen, was nicht wir wirken, sondern du.

Setze deinen Willen durch. Dass dein Wille im Geheimen, in deinem eigenen Umkreis, den wir den Himmel nennen, geschieht, das wollen wir glauben, aber lass ihn doch endlich auch in unserer zerrissenen Menschenwelt, die von Streit und Hass zerstört wird, geschehen. Und bitte bald! Jetzt! Binde du unseren Willen in den deinen, damit auch durch uns dein Wille geschehen kann. Nimm uns zu Werkzeugen!

Was aber meinen wir denn, wenn wir so leidenschaftlich danach rufen, Gottes »Wille« möge geschehen? Es muss sich ja bei ihm um etwas handeln, das uns Leben gibt, Sicherheit, Klarheit. Es muss sich um etwas Helfendes, etwas sehr Kostbares handeln, das in Gefahr ist, verloren zu gehen. Was ist das? Im Allgemeinen stellen wir uns, wenn wir von Gottes Willen sprechen, etwas vor wie den Willen eines Gesetzgebers, eines Richters oder eines Herrschers, eine Kraft, die sich durchsetzt, die Energie eines Täters. Sprechen wir von Gottes Willen, so fallen uns die Zehn Gebote ein oder ähnliche moralische Vorschriften. Aber mit Ordnungen und Gesetzen fassen wir ja nur einen schmalen Ausschnitt dessen, was Jesus damals, in der aramäischen Sprache, seinen Hörern in den Mund gelegt hat. In dieser alten Sprache bedeutete das Wort außer »Wille« auch »Verlangen«, »liebendes Drängen«, »Herzenswunsch«. Es richtet sich nicht nur auf Ordnung, sondern auch auf Bewahrung, auf Glück, auf gesegnetes Leben, auf den letzten Sinn und die Erfüllung unseres Daseins. »Wille Gottes« ist die drängende Kraft, mit der Gott in allen Dingen wirkt, ist sorgende Güte, mit der er unser an unsere Freiheit ausgeliefertes Leben umgibt. Dieser Wille möge Raum greifen, auch wo wir Menschen unsere eigenen Wege suchen, dieser Herzenswunsch Gottes, der uns als seine Töchter und Söhne sehen möchte, möge sich verwirklichen. Wir bitten also darum, dass unser kleines Menschenleben glücken möge. Dass unter den Menschen geliebt werde und getröstet, dass das Leben aller anderen Wesen mit Sorgsamkeit geschützt werde. Bitten wir aber so, dann werden wir erst die Größe und Freiheit unseres eigenen Willens, unserer eigenen Herzenswünsche und ihre größte und sinnvollste Bestimmung entdecken.

Spreche ich aber nun für mich selbst diese Bitte aus, Gottes Wille möge geschehen, so könnte es mir auch widerfahren, dass mich Angst erfasst. Denn alles, was das Leben der Menschen auf dieser Erde ausmacht, ist ja davon betroffen. Auch Krankheit, mühsamer Kampf um das Tägliche, Schmerzen und Einsamkeit, auch qualvolles Sterben. Ich kann mich ja nicht über mein eigenes bevorstehendes Schicksal hinausträumen. Es könnte also sein, dass ich gegen meine eigenen Wünsche und Hoffnungen bitte, gegen meine eigenen Lebensinteressen, gegen mich selbst. Ich selbst muss gestehen, dass ich bei keiner Bitte des Vaterunsers so sehr ins Stocken gerate wie bei dieser. Weiß ich denn, was Gott will? Weiß ich denn, ob ich das, was er mir zugedacht hat, wollen kann? Mein eigener Wille, der mir in erster Linie gegeben ist, damit ich für mein eigenes Überleben sorgen kann, muss sich also gewandelt haben, er muss in eine andere Richtung wollen, wenn ich diese große Bitte auf die Dauer festhalten und aussprechen soll. Mein Wille muss dem Willen Gottes ähnlicher geworden sein. Ich bitte dann also darum, dass mich Gott umformt nach dem Bild seines Willens, so dass ich wollen kann, was er will, dass Gottes Wille also nicht nur »im Himmel«, sondern auch auf dieser Erde, nämlich durch mich geschieht.

Ein Bild steht mir vor Augen, wenn ich so spreche. Es war in der Nacht der Verhaftung Jesu. Jesus hatte sich in einen Ölgarten zurückgezogen, um allein und nahe bei Gott zu sein. Er brachte seinen eigenen Willen mit. Der wollte leben, frei sein, wirken für Gott und die Menschen. Aber er begegnete in dieser schweren Stunde einem dunklen, einem schrecklichen Willen Gottes, der sich an ihm, ihm selbst, vollziehen sollte. Gefangenschaft, Rechtlosigkeit, Qual, Tod. Er begegnete seinem Verhängnis und sprach es an: »Vater!« Er betete: »Vater, dir ist alles möglich. Lass das Entsetzliche an mir vorübergehen! Doch nicht, wie ich will, soll es geschehen, sondern wie du willst.« Und noch einmal: »Vater, wenn es keinen Ausweg gibt, soll dein Wille geschehen.« Und sein Schweiß fiel auf die Erde wie Blutstropfen.

Es bleibt keine Wahl. Unser Wille muss sich in den Willen Gottes gefangen geben, ehe unsere Hände gebunden werden von irgendeinem Schicksal, wie die Bewaffneten Jesus damals die Hände banden. Anders können wir uns nicht davor schützen, dass unsere Hände gezwungen sind, sich zu ballen, sich zu wehren oder sich zu entziehen, und das ohne Aussicht, je wieder frei zu werden. Wer frei ist, kann diese Freiheit nur dann willig abgeben, wenn er sie nicht einem blinden, gewalttätigen Verhängnis übergibt, sondern einem anderen, einem klaren, heiligen Willen. Einer tödlichen Krankheit kann einer sich nur fügen, wenn ihm nicht die Krankheit das Gesetz des Handelns aufzwingt, sondern wenn er von einem höheren, einem heiligen Willen weiß. In den Tod geht willig und mit einem klaren Ja, wer sich nicht vom Tod überwunden weiß, sondern von dem Gott, in dessen Hand nicht nur der Tod, sondern auch das Leben ist. Er bedarf eines Worts von dem, der ihm den Tod zumutet, will er sich dem Weg durch den Tod anvertrauen und will er wissen, ob er ein Schritt ins Leben ist.

Es gibt eine alte Übung in der Überwindung des eigenen Willens. Es ist der Kreuzweg, der oft die Treppen zu alten Bergkapellen mit seinen Bildern begleitet oder auch die Innenwand einer Kirche vom Eingang bis vor das Kreuz über dem Altar entlangführt. Damit begleiten wir nicht nur den Weg des Mannes aus Nazaret. Wir vollziehen auch vorweg, wie unser eigenes Schicksal sein könnte und wie wir es bestehen wollen. In den alten Kreuzwegen spricht sich das Vertrauen aus, dass wir Menschen mit der Last unseres uns zugedachten Schicksals nicht in der Verlassenheit herumirren, sondern in eine Art Heiligtum eintreten, in das Heiligtum des Leidens. Wir gehen nicht in die Ausweglosigkeit, sondern in das Licht. Wir gehen nicht allein, sondern an einer guten Hand. Auf diesem Kreuzweg, den wir Protestanten sehr zu unserem Schaden nicht mehr kennen, kann sich das richtungslose Dahintaumeln eines verzweifelten Menschen in einen Heimweg wandeln. Es kann aus dem rätselhaften Gott, von dem wir nach unserem Empfinden verlassen sind, der Vater werden, der uns begleitet und erwartet, während wir unsere Schritte mit dem armen Bruder Jesus zusammengehen. Wir bitten darum, seine Kraft möge zu unserer Kraft werden, unsere Angst zu seinem Vertrauen. Als Jesus sich in Getsemane auf die Erde warf, sah er kein Licht. Er wusste in seiner Verlassenheit zwischen den dunklen Bäumen keinen Rat, als sich am Ende in den rätselhaften Willen Gottes zu flüchten und zu sagen: »Dein Wille geschehe«! Er fürchtete sich vor dem, was ihm zugedacht war, aber er fand im Willen dieses rätselhaften Gottes die leise, behütende, führende Hand des Vaters.

Es geht also um die Verwandlung unseres eigensinnigen Willens in die Bereitschaft, sich dem Willen Gottes zu fügen. Teresa von Avila, die große Heilige aus dem 16. Jahrhundert, sagt:

»Hier ist mein Leben, mein Wille, meine Ehre;
alles ist dein, alles gebe ich dir,
verfahre damit nach deinem Wohlgefallen.

Dein Wille geschehe an mir in aller Weise
und jeder Art, wie du, mein Herr, es willst.
Wenn es unter Leiden geschehen soll,
so gib mir Kraft. Dann mögen sie kommen.
Sind mir Verfolgungen, Krankheiten,
Ehrenkränkungen und Not zugedacht,
hier bin ich;
ich werde mein Gesicht nicht abwenden.
Verfüge über mich, wie du willst.«

Oder Caspar Schwenckfeld, der Reformator aus der Zeit Luthers:

»O Herr, gütiger Vater,
ich begehre nicht das Deine, sondern dich.
Dich selbst will und suche ich.
Es ist gut so, dass du mir gibst, soviel du willst,
und aus mir machst, was du willst.
Ich will weder sein noch nicht sein,
weder leben noch sterben,
weder wissen noch nicht wissen,
weder haben noch entbehren:
Allein was du willst, wie viel du mir geben willst,
darauf will ich täglich warten
und dich gleich lieben.«

Oder wie der katholische Pfarrer Rupert Mayer im Konzentrationslager geschrieben hat:

»Herr, wie du willst, soll mir geschehn,
und wie du willst, so will ich gehn;
hilf deinen Willen nur verstehn!

Herr, wann du willst, dann ist es Zeit;
und wann du willst, bin ich bereit,
heut und in alle Ewigkeit.

Herr, was du willst, das nehm ich hin,
und was du willst, ist mir Gewinn;
genug, dass ich dein Eigen bin.

Herr, weil du's willst, drum ist es gut;
und weil du's willst, drum hab ich Mut.
Mein Herz in deinen Händen ruht.«

Überall beginnt, was wichtig ist, mit anfängerhaften Versuchen. Einer dieser Versuche ist der, den Willen Gottes zu entdecken, während wir über unser vergangenes Leben nachdenken. Denn dabei kann uns die Einsicht streifen, wir seien auf den merkwürdigen Wegen unseres bisherigen Lebens geführt worden. Es sei auch im Schwierigen und Gefahrvollen unseres bisherigen Weges Gottes Wille am Werk gewesen. Wir können dann vielleicht so sprechen, wie Matthias Claudius im Rahmen seines einfachen Lebens empfindet:

»Ich denke an mich selbst,
wie es in mir hin und her treibt
und bald dies und bald das die Herrschaft hat –
dass alles ein einziges Herzquälen ist
und ich dabei auf keinen grünen Zweig komme.
Und dann denke ich, wie gut es für mich wäre,
wenn doch Gott

allem Hin und Her ein Ende machen
und mich selbst führen wollte.«

Ich kann dann sagen: Dein Wille ist geschehen in den Tagen, an denen ich glücklich war, an denen ich Liebe empfangen und Erfüllung und Freude gefunden habe. Alles Glück ist in Gefahr. Das hast du bestimmt. Ich bejahe deinen Willen. Dein Wille ist geschehen auch auf allen dunklen Wegen des Elends und der Angst. Ich danke dir, dass ich nicht zugrunde ging. Ich danke dir, dass ich meine Schuld nicht büßen muss. Ich danke dir, dass ich eins bin mit dir und nicht zerfallen in mir selbst. Dein Wille ist meine Kraft in meiner Schwäche. Ich nehme deine Kraft an und vertraue ihr. Dein Wille ist es, der mich weiterführt bis zum Ende meiner Tage und weiter. Dein Wille geschieht. Ich bitte dich, dass er geschieht auch durch meinen Willen.

»Habe deinen Weg lieb«, hat einer gesagt, »denn es ist der Weg deines Lebens, und ihn schilt nur, wer ihn nicht versteht.« Aus dem Ja, das einer spricht, wächst die Gelassenheit, deren der zurückblickende Mensch so sehr bedarf. Denn er soll dieses Ja auch zu sich selbst sprechen können, er soll auch sich selbst ein wenig lieben lernen, ohne sich dabei zu seinem eigenen Liebhaber zu machen oder zu seinem eigenen Gott.

Wenn ich Jesus höre, so begegne ich dem Auftrag, der auch mir gestellt ist:

»Gott hat mich gesandt, seine Liebe den Armen
zu bringen,
Gefangenen die Freiheit zu geben
und Blinden das Licht,
Misshandelte aus ihren Ketten zu lösen
und die Zeit anzukündigen, in der Gott Heil gibt.«
LUKAS 4,18–19

Ich spreche dann zu mir selbst etwa so: Ich will in Frieden tun, was Gott durch meine Hand in dieser Welt tun will. Ich weiß nicht, wie ich mich davor bewahren soll, Tag für Tag immer wieder den Wünschen meines eigenen Willens nachzugeben, aber ich vertraue darauf, dass Gott mich nicht an meiner Unschuld misst, sondern an meiner Liebe zu denen, die gleich mir schuldig sind. Ich sehe um mich her Menschen, die eine Last tragen. Ich will hingehen zu ihnen und sie ihnen abnehmen, soweit meine Kräfte reichen, damit auch sie selbst hingehen können, anderen ihre Lasten leichter zu machen. Am Ende suche ich die Sorglosigkeit, von der Jesus spricht. Ich gebe meine Lebenspläne Gott anheim. Ich wünsche mir die Gelassenheit, die dort einkehrt, wo der Wille Gottes an die Stelle getreten ist, den bislang mein eigener Wille einnahm. Und wenn ich will, kann ich so sprechen:

Ich lasse mich dir, heiliger Gott, und bitte dich:
Mach ein Ende allem Eigensinn.

Meinen Willen lasse ich dir.
Ich glaube nicht mehr,
dass ich selbst verantworten kann,
was ich tue und was durch mich geschieht.
Führe du mich und zeige mir deinen Willen.

Meine Gedanken lasse ich dir.
Ich glaube nicht mehr, dass ich so klug bin,
mich selbst zu verstehen,
dieses ganze Leben oder die Menschen.
Lehre mich deine Gedanken denken.

Meine Pläne lasse ich dir.
Ich glaube nicht mehr, dass mein Leben

seinen Sinn findet
in dem, was ich erreiche von meinen Plänen.
Ich vertraue mich deinem Plan an,
denn du kennst mich.

Meine Sorgen um andere Menschen lasse ich dir.
Ich glaube nicht mehr,
dass ich mit meinen Sorgen irgendetwas bessere.
Das liegt allein bei dir.
Wozu soll ich mich sorgen?

Die Angst vor der Übermacht der anderen
lasse ich dir.
Du warst wehrlos zwischen den Mächtigen.
Die Mächtigen sind untergegangen. Du lebst.

Meine Furcht vor meinem eigenen Versagen
lasse ich dir.
Ich brauche kein erfolgreicher Mensch zu sein,
wenn ich ein gesegneter Mensch sein soll
nach deinem Willen.

Alle ungelösten Fragen, alle Mühe mit mir selbst,
alle verkrampften Hoffnungen lasse ich dir.
Ich gebe es auf, gegen verschlossene Türen
zu rennen,
und warte auf dich. Du wirst sie öffnen.

Ich lasse mich dir. Ich gehöre dir, Gott.
Du hast mich in deiner guten Hand. Ich danke dir.

Wie der Wille Gottes »im Himmel« geschieht, so geschehe er auf unserer Erde, sagen wir. Nun mögen wir uns diesen

Himmel nach unserem Wohlgefallen ausmalen, wie es auch die Bibel immer wieder tut. Wir können uns Gott vorstellen wie einen König, der seinen Hofstaat um sich hat, die »Zebaoth«, das heißt die himmlischen Heerscharen, die die Würde des himmlischen Hofs sichern. Oder die Engel, die diesen Himmel füllen und deren Lobgesang ihre Weise ist, Ja zu sagen zu ihrem Auftrag und dem souveränen Willen Gottes. Wir mögen uns auch ein himmlisches Gericht vorstellen, dem Gott vorsitzt, und in dessen Auftrag ein Staatsanwalt, der Satan, die Untaten der Menschen beobachtet, feststellt und anklagt. Mag dies alles seinen Sinn haben, es bedeutet insgesamt: Hier geschieht, was Gott will. Und es mag sich in der »himmlischen Musik« etwas ausdrücken von der Schönheit und Leichtigkeit göttlichen Seins. Aber für uns liegt in dem Wort »Himmel« die höchst notwendige Vorstellung, es gebe im Universum und darüber hinaus Zonen und Dimensionen, die unserem Wahrnehmen und Nachdenken unzugänglich sind, in denen gleichwohl alles von klaren Gesetzen und Kräften bestimmt ist. Dass also, was wir sehen und was uns verborgen ist, seinen geplanten und geordneten Lauf nimmt – mit der einen Ausnahme des Menschen, dieses mit seinem begrenzten Maß an Freiheit ausgestatteten Störenfrieds. Ihm aber ist aufgetragen, seine eigentliche und freie Gestalt darin zu finden, dass er zu seiner Verantwortung steht, das heißt, dass er sich anreden lässt und seine Antwort gibt. Er steht zwischen Gott und der kleinen Welt, die er bewohnt, er steht zwischen Gott und sich selbst, zwischen dem Willen dieses Gottes und seinem eigenen. Er ist das offene oder das verschlossene Tor, das die Bewegung des göttlichen Wirkens in unsere Menschenwelt herein öffnet oder hindert. Gibt er diese Bewegung frei, so wird er das Instrument des Wirkens Gottes in dieser Welt. Was er dann wirkt, hat die wirkende Kraft Gottes in sich. Wir sagen also: Dein Wille geschehe, nicht nur im Himmel, sondern auch durch uns Menschen. Noch genauer: Durch uns selbst, die diese Bitte jetzt aussprechen.

Gelingt uns davon etwas, so können wir mit dem italienischen Dichter Dante so sprechen, wie er seine Betrachtung der vollendeten Welt schließt:

»Mein Wunsch und Wille ward ergriffen
von jener Liebeskraft, die still und einig
im Kreis die Sonne führt und alle Sterne.«

Was soll denn am Ende aus mir werden? Im Grunde fragen wir so unser ganzes Leben lang. Das Kind will Pilot werden, der Jugendliche ein Dichter, der Erwachsene ein Chef, der Alte ein gelassener, zur Reife gekommener Mensch. Unter Christen will mancher ein alles umstürzender Prophet werden, ein anderer ein Heiliger, der Dritte ein Seelenführer, der Vierte ein Helfer im Elend der anderen. Solche Zielbilder haben ihren wichtigen Sinn. Sie prägen einen Menschen, auch wenn sie in der Praxis unerreichbar bleiben sollten. Zuletzt aber werden wir alle feststellen, dass an unserem Lebensweg nicht wichtig gewesen ist, ob wir unsere Zielbilder verwirklichen konnten, sondern dass die tastenden Schritte es waren, die wir täglich taten. Wir sind Werdende. Wir sind in Bewegung auf unsere eigene Gestalt zu. Die aber kennen wir nicht. Unser eigener kleiner Wille behält durchaus seinen Sinn, und es wird wichtig sein, ihn stark und frei zu machen. Er kann der Verwirklichung unserer uns noch nicht sichtbaren Gestalt dienen. Nicht Willenlosigkeit ist das Ziel. Das Ziel ist, einen eigenen, starken Willen mitzubringen und ihn einzuverwandeln in den größeren Willen Gottes. Die Meister der christlichen Spiritualität haben zu allen Zeiten von der »conformitas« geredet, von der Gleichgestalt unseres Willens mit dem Willen Gottes, vom Versuch der Eingleichung. Denn das bleibt das entscheidend Wichtige, dass durch das, was in unserem vielleicht langen, vielleicht kurzen Leben aus uns wird, der Wille Gottes geschieht wie im Himmel, so auch auf der Erde an uns und durch uns.

Das notwendige Brot für morgen

»Unser tägliches Brot gib uns heute« – diese Bitte scheint unter denen des Vaterunsers die klarste und die selbstverständlichste zu sein. Dass ein hungriger Mensch so etwas wie Brot braucht, bedarf keiner Diskussion. Jeder auch weiß, was Brot ist. Kaum ein Tag vergeht, an dem auf unserem Tisch nicht Brot liegt. Und besuchen wir die Steppen- und Wüstenregionen des Nahen Ostens, in denen Israel seine Wurzeln hat, die wandernden Hirtenfamilien in den Wadis, so bemerken wir rasch, dass dort das Brot eine noch ungleich zentralere Rolle spielt als bei uns. Ich bin immer wieder zu ihren Mahlzeiten eingeladen gewesen und habe mit ihnen zusammen auf der Erde gesessen, um »das Brot zu essen«, wie sie sagen. Sie legen ihre gewölbten, schwarzen Backbleche in die Sonne, bis sie brandheiß sind, dann erhöhen sie die Hitze durch ein paar Disteln, die sie darunter legen und entzünden. Darauf backen sie ihre dünnen Fladen. Ein wenig grüne Soße aus Kräutern kommt hinzu. Fast nie, außer an besonderen Tagen, essen sie Fleisch von einem der Tiere ihrer Herde. Immer ist es das Brot. Und so bezeichnen sie alles, was sie zum Leben brauchen, alles, was Leib und Seele zusammenhält, als »Brot«. Mit jemandem zusammenleben heißt, mit ihm »Brot essen«. Die Empörung aber darüber, dass jemand das Gemeinsame verrät, drückte schon ein Psalmsänger aus mit dem Ruf: »Der mein Brot isst, tritt mich mit Füßen.«

Brot umgreift alles, was das Leben ausmacht. Alles, was Frieden heißt. Essen können, statt zu hungern, ist Frieden. Trinken können, statt zu dürsten, warm haben, statt zu frieren, ist Frieden. Schutz finden in einem Haus, arbeiten können und seine Kraft einsetzen dürfen, das alles ist Friede, ist tägliches Brot. Einen Menschen haben, mit dem man vertraut ist, sich nicht ängsten müssen vor der Einsamkeit, vor Streit und Hass und vor der Hölle des Krieges. Sich nicht ängsten müssen um Kinder, Eltern oder Freunde, sie nicht hergeben müssen an die Maschine des Mordens: Das alles ist das Brot, das täglich nötig ist und für das man täglich dankt. So bettet der Psalm 36 seinen Dank für das tägliche Brot in das große Ganze des Menschenlebens ein:

»Gott, deine Güte breitet sich,
so weit der Himmel blaut,
und deine Wahrheit, so weit die Wolken gehen!
Wie die Berge feststehen über den Tälern,
steht deine Gerechtigkeit fest über der Welt!
Wie das Meer unendlich sich breitet,
so ohne Grenzen ist deine Macht.

Wie kostbar ist deine Güte, o Gott!
Bei dir finden wir Menschenkinder Schutz.
Wir werden satt von den reichen Gütern,
die die Erde darreicht,
und du tränkst uns mit Wonne
wie mit einem Strom.
Denn bei dir ist die Quelle des Lebens,
und in deinem Lichte sehen wir das Licht.«

Damit ist auch schon selbstverständlich, dass wir nicht sagen können: Gib mir mein täglich Brot! Wer um Brot bittet, bittet um das Gemeinsame, um »unser« Brot.

Denn niemand kann allein sein Leben fristen. Die Verhältnisse müssen so sein, dass er leben kann. Die Menschen um ihn her müssen gemeinsam wollen, dass er da ist. Ein gütiger Wille, der über oder hinter seinem Dasein steht, muss es schenken. Brot essen können ist Gnade. Das Leben selbst ist das ursprüngliche und elementare Wunder, das ihm widerfahren ist. Es widerfährt ihm aber immer zusammen mit anderen. Kein Mensch ist als Selbstversorger lebensfähig. Er bringt sich, wenn er klug ist, in das gemeinsame Leben ein.

»Gott lässt seine Sonne scheinen über die Bösen und die Guten und lässt regnen auf Gerechte und Ungerechte«, sagt Jesus. Die Güte Gottes also, die Leben erhaltende, gilt dem Tüchtigen und dem Untüchtigen, dem Schwachen und dem Starken, dem Gerechten wie dem Ganoven. Kein Schicksal ist ohne feste Einbindung in die Schicksale anderer. Wir werden miteinander schuldig und bedürfen miteinander der Vergebung. Wir erwehren uns des Bösen gemeinsam. Wir fallen ihm gemeinsam zum Opfer. Uns aber ist das Gemeinsame gegeben, was uns das Leben gibt: das Brot. Ein russisches Gebet zur Aussaat lautet:

»Gott, gestalte, vermehre und lass gedeihen,
dass es reicht für jedermann:
für den Hungernden und den Verwaisten,
für den Begehrenden und den Bittenden,
für den, der es sich nimmt,
für den, der dich preist,
und auch für den, der undankbar davongeht.«

Wer so spricht, dankt dafür, dass Gott uns, die wir hier in Europa leben, in den langen Jahren des Friedens das Brot gegeben hat. Und er wird rasch an dem Punkt ankommen, an dem ihm deutlich wird, dass uns aufgetragen ist, Brot zu schaffen nicht nur für uns selbst, sondern ebenso für die

Hungernden dieser Erde. Wir sind bevorzugt vor Milliarden Menschen, die ohne Arbeit, ohne ärztliche Versorgung, ohne sanitäre Einrichtungen und ohne Brot in den Slums dieser Erde und in den weiten Steppengebieten umkommen. Wir haben Schuhe an unseren Füßen und denken an all die nackten Füße in Staub und Schmutz dieser Erde. Wir leben im Frieden und denken an die, die zerrieben werden in der Maschine irgendeines Krieges. Wir bitten also: befreie uns von unseren Ansprüchen und von unserer Raffgier. Gib uns vielmehr – nur – das Brot für diesen Tag. Und hilf uns, es gerecht zu verteilen. Jesus sagt: »Was ihr einem von diesen Hungernden gegeben habt, das habt ihr mir gegeben« (Mattäus 25,34–25). Hungert nun also nicht nur irgendein Schwarzafrikaner, sondern in Wahrheit auch dieser Christus? Und rührt unsere geistige und spirituelle Armut unter uns europäischen Christen von diesem Hunger? Jedenfalls ist das irgendwo einsam verhungernde Kind eine Anklage an die Satten dieser Erde, an uns. Ein elfjähriges Kind aus Italien, dessen Gedicht von der Unesco veröffentlicht worden ist, hat es in ergreifende Verse gefasst.

»Ich sah, wie der Bäcker ein Herz aus Brot machte,
groß, heiß, duftend. Da dachte ich:
›Wenn ich ein Herz aus Brot hätte,
wie viele Kinder könnten davon essen!
Ich gäbe euch gern, meine hungrigen Freunde,
von meinem Herzen aus Brot.
Es ist ja nicht genug, zu einem Kind, das weint,
zu sagen: Du Armes!
Wenn mein Herz aus Brot wäre,
wie viele Kinder könnten satt werden davon!
Ach, wäre mein Herz doch aus Brot‹«

Das Wort »unser täglich Brot gib uns heute« macht uns hörsam auf alles, was heute gelitten und entbehrt wird, was heute geschieht an Ausbeutung und Gleichgültigkeit. Wir können heute wissen, dass unser Glaube uns überall hinweist und dass er in die Tat führen will, von der er spricht.

Aber die Gemeinschaft, in der wir »das Brot essen«, ist noch umfassender. Ich mache oft eine bestimmte Meditationsübung. Ich gehe über ein Feld, nach dem Regen, wenn die Erde duftet. Oder ich kniee zwischen den Büschen meines Gartens, nehme eine Handvoll Erde auf und stelle mir das lebendige Leben vor, das in jeder Krume sich bewegt, die Tausende von Lebewesen, die Einzeller, die Erdamöben, die Springschwänze und die Saftkegler, die in jeder Handvoll guter Erde leben und ohne die unsere Erde tot und unfruchtbar wäre. Sie leben mit mir in derselben Welt. Mehr noch: sie helfen mir, zu leben. Sie bringen für mich das Brot aus der Erde, und ich werde mich hüten, sie mit meinen chemischen Mitteln ums Leben zu bringen. Wir Menschen sind eine Art von kleinen Schleifen im großen Netzwerk des Lebendigen. Wir leben zusammen mit allem und von allem, was lebt. Nur in dieser Einbindung sind wir lebensfähig. Was uns das Leben sichert, ist die Gemeinschaftsarbeit von Würmern und Insekten und von unzähligen Pflanzen und Tieren. Ich selbst gehöre zu ihnen allen und stehe nur dadurch eine geringe Stufe über ihnen, dass ich die Stimme habe, um ein Brot zu bitten und dafür zu danken. Indem die Mikroben in der Erde mir das Brot reichen, leben sie selbst davon. Und wenn ich sage: »Unser täglich Brot«, dann bitte ich für sie alle zugleich.

Wenn wir um unser tägliches Brot bitten, muss uns deutlich sein, vor welchem Hintergrund Christus uns diesen Satz nahe legt. Er spricht von Sperlingen, die nicht ohne Gottes Willen vom Dach fallen, von Anemonen, deren herrliche Kleider Gott geschneidert hat. Und so sagt er: Macht euch keine Sorgen! Und es hat etwas ungemein Heiteres und Leichtes, wenn er sagt: Kommt doch bitte hinaus über eure ständigen Versuche, euch zu sichern. Bleibt doch euren Sorgen und Ängsten gegenüber frei und überlegen. Und wir wollen dabei bedenken, dass er in einem bettelarmen Land gelebt hat. Der Wohlstand, den wir heute beanspruchen, als gehe es nicht ohne ihn, herrschte damals kaum an Königshöfen. Mir wurde das sehr klar, als ich mich einmal im Jemen durch den »unerlaubt luxuriösen« Palast eines Emirs führen ließ und mir sofort klar war, dass jede unserer Etagenwohnungen luxuriöser ist als ein orientalischer Herrscherpalast. Treppenhäuser und Wände aus ungebranntem Lehm. Kleiderschränke, in die Wände eingebaut aus ungebranntem Lehm. Was da Schönheit sein sollte, Bequemlichkeit, Reinlichkeit, das ist von unseren Vorstellungen so weit entfernt, dass uns vermutlich erst recht kaum vorstellbar ist, in welcher Armut die Menschen in Galiläa zur Zeit Jesu lebten. Aber den Menschen seiner Heimat sagt Jesus eben das Unerhörte:

»Macht euch keine Sorgen um euer Leben:
Was essen? Was trinken? Was anziehen?
Das Leben, das ihr von Gott empfangen habt,
ist mehr als die Nahrung,
der Leib, den er erhält, ist mehr als die Kleidung.
Seht die Vögel unter dem Himmel an.
Sie säen nicht, sie ernten nicht,
sie sammeln nicht in Scheunen.
Euer Vater im Himmel ist es, der sie ernährt.
Seid ihr nicht kostbarer als sie?
Seht die Lilien auf dem Feld.

Sie mühen sich nicht, sie spinnen nicht.
Ich sage euch:
Nicht einmal Salomo in all seiner Pracht
war gekleidet wie eine von ihnen.
Wenn aber Gott das Gras,
das heute steht und morgen verbrannt wird,
so kostbar kleidet,
wird er nicht viel mehr für euch sorgen,
ihr Anfänger im Glauben?«
MATTÄUS 6,25–30

Und auf dieser Grundlage sagt er ihnen: Nun bittet um eurer Brot, aber nicht um das Brot für die nächsten Jahre, sondern für diesen Tag.

»Nicht sorgen« heißt, mit Nachdruck sei es gesagt, nicht, wir sollten uns keine Gedanken machen, nicht planen und uns nicht überlegen, was morgen sein wird. Es heißt aber, dies alles ohne Angst zu tun. Wir sollen sehen, was geschieht, ohne uns vor irgendetwas zu verschließen. Wir sollen nachdenken, worüber nachzudenken andere vermeiden. Wir sollen wach sein und nicht unsere Zukunft verschlafen. Aber das alles, ohne uns zu Sklaven unserer Sorge und Angst zu machen. Können wir das trennen? Wir werden es können müssen, wollen wir nicht unser ganzes Leben lang Gejagte bleiben. Wir werden, auch wenn uns unsere Aufgaben überfordern, auch wenn uns alle Sicherheiten unter unseren Füßen schwinden, unserer Sorge unser Vertrauen entgegensetzen. Auch wenn wir alt, krank und gebrechlich werden, wenn unsere Kräfte nachlassen und wir nichts wissen über den kommenden Tag, sagen: Unser tägliches Brot gib uns heute. In deiner Hand ist mein Leben. Mein Geschick. In deiner Hand ist das Leben der Menschen und der Völker. Gib uns heute das Leben und das Vertrauen.

Auch in dem kleinen Wort »täglich« können wir mehrere Bedeutungen entdecken. Das griechische Wort, das im Neuen Testament für »täglich« steht, kann mehreres bedeuten. Es kann meinen: das existenznotwendige Brot. Wir bitten damit: Gib uns das Brot, das das Leben sichert. Es kann auch bedeuten: das Brot für heute! Das Vaterunser wurde also an einem Morgen gesprochen, noch ehe der Tagelöhner von damals wissen konnte, ob er eine Arbeit bekommen würde. Eine dritte Bedeutung kann meinen: Unser Brot für den kommenden Tag gib uns heute. Wie sollten wir gut schlafen können, wenn wir nicht wissen, wovon wir uns morgen ernähren können? Es geht in beiden Fällen nicht um die Sicherung des Wohlstandes, sondern um das nackte Überleben einer Familie. Eine vierte Deutung stützt sich auf die Tatsache, dass Jesus sich mit den Armen von Galiläa zu festlichen Tischgemeinschaften zusammengesetzt hat, die voraus deuteten auf ein Fest nach dem Ende der Menschengeschichte. So rief einmal einer seiner Gäste, als er das verstanden hatte, aus: »Selig, wer das Brot isst im Reich Gottes.« Diese vierte Deutung stützt sich zum anderen auf die Tatsache, dass die einzige Art von Gottesdienst in der Urgemeinde eine Mahlzeit war. So konnte man denken, das Brot, um das wir im Vaterunser bitten, sei eigentlich jenes »Brot«, das wir im Reich Gottes essen werden. Wir sagen dann: Gib uns die Speise, mit der alle Angst endet, heute. Es ist Zeit. Unsere Seele hungert schon zu lange. Gib dieses Brot, das künftige, nicht irgendwann, sondern heute.

Es könnte nun sein, dass jede dieser Bedeutungen in die andere hinüberspielte und dass alle zusammen meinen, indem sie ihr Gewicht verschieden legen, das, was für Leib, Seele und Geist und für alles Leben nötig ist: Brot. Am nächsten freilich liegt uns wohl die schlichte Bitte: Was wir morgen nötig haben, gib uns heute.

Aber das Wort vom »Brot« hat noch eine andere Tiefe. Als die Jünger einmal Jesus baten, er möge doch etwas essen, antwortete er: »Ich lebe davon, dass ich dem Willen dessen entspreche, der mich gesandt hat, und sein Werk vollende« (Johannes 4,34). Als er in der Wüste vom Teufel aufgefordert wurde, aus Steinen Brot zu machen, wenn ihn hungere, da sagte er: »Der Mensch lebt nicht vom Brot allein, sondern von jedem Wort, das Gott ihm zuspricht« (Mattäus 4,4). Als nach der überraschenden Sättigung vieler Menschen mit wenig Nahrungsmitteln viele mit ihm diskutierten, sagte er: »Wer glaubt, hat ewiges Leben. Ich bin das Brot des Lebens. Ich bin das lebendige Brot. Wer dieses Brot isst, wird leben« (Johannes 6,51). Das »Wort« rückte für ihn so nahe mit dem »Brot« zusammen, dass es fast identisch war. Jesus versteht sich als Wort von Gott an die Menschen. Dieses Wort ist das Brot, von dem sie ihr Leben bekommen. Als er den Menschen erklären wollte, was sie denn in den Augen Gottes seien, da sagte er: Ihr seid Ackerland. Ich werfe mein Wort in euch hinein. Es wird in euch keimen, wachsen, reifen, Frucht bringen. Ihr seid ein Acker, in dem Brot wächst, durch das Wort, das ich euch sage. Aus gewöhnlicher Nahrung wird so ein Bild für ein erlöstes Leben, für ein Fest, für Geborgenheit, für Sinn. Aus einer Versammlung von Gästen wird Volk Gottes. Aus Menschen werden Töchter und Söhne Gottes. Aus den gesegneten Elementen des heiligen Mahls wird Speise und Trank für das ewige Leben. Alles spielt hinüber in ein von Angst freies Leben in Gott.

Aus der Bitte also wird ein Dank. Eine Art Abendgebet, wie es Luise Rinser uns gegeben hat:

»Ich habe zu danken für den Tag.
Niemand starb mir hinweg von meinen Lieben,
niemand kränkte mich, die Sonne schien,
meine Schwermut und mein Kopfweh waren
erträglich,
die Arbeit hatte sich nicht gesperrt,
die Liebe ist nicht ausgelöscht,
und die Menschen taten mir Gutes.
Sie brauchten mich.

Nun ist es Abend.
Bleib du am Tor sitzen in der Nacht.
Bewache den Schlaf aller Kinder,
der weißen, schwarzen, gelben.
Die Einsamen besuche du,
den Kranken schenke selige Träume,
den Sterbenden gib Einsicht in dein Geheimnis.

Und werde du deiner Welt nicht müde.
Gib uns das Beispiel der Treue,
damit wir den Mut behalten, dir treu zu sein,
dir und unseren Gefährten und allen Menschen,
bis zum nächsten Morgen –
dann sehen wir weiter.«

Mit Schuld umgehen

»Vergib uns unsere Schuld, wie wir denen vergeben, die an uns schuldig werden.« So lautet die fünfte Bitte. Sie scheint eindeutig zu sein. Aber wieder macht uns die Sprache Schwierigkeiten. Der griechische Wortlaut gebraucht, wo wir von Schuld sprechen, drei verschiedene Wörter. Lukas spricht in seiner Fassung des Vaterunsers von »Sünde«. Das Wort meint ein Fehlverhalten oder eine Fehleinstellung gegenüber Gott (Lukas 11,4). Markus spricht von »Übertretung«; das Wort meint einen Fehltritt gegenüber einer Norm oder einem Gesetz (Markus 11,25), Mattäus von einer» Kreditschuld« (Mattäus 6,12). Er will sagen: Uns ergeht es wie einem, dem Geld geliehen worden ist. Wir schulden diese Summe und müssen sie eines Tages zurückzahlen. Es ist eine entscheidende Frage, in welche dieser drei Richtungen Jesus denkt, wenn er diese fünfte Bitte so formuliert.

Wenn ich von »Sünde« spreche, dann stimmt die zweite Hälfte des Satzes nicht zur ersten. Denn Sünde richtet sich gegen Gott. Sünde kann also nur Gott vergeben. Eine solche Art von Schuld kann aber ein anderer Mensch mir gegenüber gar nicht begehen, denn ich bin nicht Gott. Ich kann sie ihm also auch unmöglich vergeben. Denke ich, das ist die zweite Möglichkeit, an einen Verstoß gegen ein sittliches oder staatliches Gesetz, so hat das Wort Vergebung wenig Sinn. Einen Rechtsbruch kann der Staat, gegen den er sich richtet, nicht vergeben. Er muss ihn untersuchen, verfolgen und bestrafen. Ein Verstoß gegen ein Sittengesetz verlangt nicht Vergebung, sondern Sühne, Wiedergutmachung. Aber was bleibt dann? Sehen wir uns unter den Worten Jesu um, in denen er von Schuld spricht, so fällt auf, dass er fast immer von Schuld im Sinne einer »Kreditschuld«

spricht. Er sagt: Du stehst vor Gott wie einer, der etwas zurückzahlen muss und das nicht kann. Du hast Schulden. Ein anderer hat Schulden bei dir. Erlasse sie ihm, wenn du willst, dass Gott dir die deinen erlässt. Das mag uns befremden, aber es ist so. Gehen wir der seltsamen Vorstellung nach.

Es wird erzählt: »Einmal wandte sich Petrus an Jesus: Herr, wie oft muss ich meinem Bruder vergeben, der mir Unrecht tut? Ist siebenmal genug? Jesus antwortet: Nein, nicht siebenmal, sondern siebzig mal siebenmal. Denn bei Gott geht es zu wie bei einem König, der seine Amtleute zusammenrief, um mit ihnen abzurechnen. Dabei traf er auf einen, der ihm zehntausend Zentner Silber schuldig geblieben war. Da er sie nicht zahlen konnte, befahl der König, man solle ihn auf dem Sklavenmarkt verkaufen, dazu seine Frau und seine Kinder, und sein gesamtes Eigentum einziehen als Ausgleich für seine Schuld. Da warf sich der Mann auf die Knie und bat: Habe Geduld mit mir! Ich will dir alles bezahlen. Er tat dem König Leid, der gab ihn frei und erließ ihm die ganze Schuld. Kurz danach ging der Mann aus dem Saal und traf draußen auf einen seiner Kollegen, der ihm eine geringe Summe schuldig war. Er griff zu, würgte ihn und fuhr ihn an: Zahle, was du mir schuldig bist. Da flehte der Kollege: Habe Geduld mit mir, ich will dir alles bezahlen. Er aber wollte nicht, sondern ließ ihn ins Gefängnis werfen, bis er seine Schuld bezahlen würde. Als die Leute am Hof das sahen, waren sie entsetzt und berichteten davon dem König. Der ließ ihn kommen und sagte: Du übler Bursche, deine Riesenschuld habe ich dir erlassen, weil du mich gebeten hast. Wäre es nicht selbstverständlich gewesen, dass du mit deinem Kollegen ebenso umgegangen wärest? Er übergab ihn den Aufsehern im Gefängnis und hieß ihn erst wieder freizulassen, wenn er alles bezahlt haben würde, was er schuldig war« (Mattäus 18,21–34).

Die Antwort, die Jesus dem Petrus gibt, klingt, als hätte er sie mit einem freundlichen Lächeln gesagt. Etwa so: Fühlst du dich überlastet, Petrus? Vielleicht hängt das damit zusammen, dass du deinem Bruder zu viel nachträgst? Vergebung ist eine Entlastung für euch beide. Wo ihr sie zuwege bringt, wird das Leben leichter. Wer Vorwürfe erhebt, bedenke: Er kann sich irren. Wer vergibt, irrt nie. Darum verzeihe, was man dir antut. Gott verzeiht dir, und zwar viel, von dem du gar nichts weißt, und du lebst im Frieden mit ihm, wenn du tust wie er.

Aber wie steht es im Wiederholungsfall? Soll das weitergehen, ins Unendliche? Ja, sagt Jesus, ins Unendliche. Und um das anschaulich zu machen, erzählt er die vorige Geschichte, die den Fall in der Bildsprache der Finanzwelt deutet. Die Geschichte beginnt mit einem Sachverhalt, der außerhalb aller normalen Maßstäbe liegt. Zehntausend Zentner Silber sind ein Betrag, den ein Privatmann einem König weder schulden noch zurückzahlen kann. Was du Gott schuldest, das ist alles, was du hast und was du bist. Nun achte auf das Gefälle von der ersten zur zweiten Szene. Es geht aus von der unbegreiflichen Großzügigkeit des Königs und endet in der kleinkarierten Hartherzigkeit dessen, der nach wenigen Augenblicken nicht mehr weiß, dass er kurz zuvor dieselben Worte gebraucht hat wie sein kleiner Schuldner. Die Geschichte sagt: Was immer du bist, was du kannst, was du darstellst, es ist alles geliehen. Du hast dir nichts davon selbst gegeben. Du kannst tun, was du willst, du wirst dich selbst Gott immer schuldig bleiben. Zieh die Konsequenz: Lebe so, dass die Güte Gottes sich wenigstens dann und wann in deinem Verhalten spiegelt.

Jesus schildert, was er unter Schuld versteht, auch sonst oft in der Bildersprache des Finanzwesens. Er erzählt einmal, ein reicher Mann habe eine weite Reise angetreten und vorher seinen Mitarbeitern bestimmte Summen übergeben, mit denen sie gewinnbringend arbeiten sollten. Als er zurückkam, rechnete er mit ihnen ab. Die beiden ersten hatten das ihnen anvertraute Kapital verdoppelt, der Dritte hatte es vergraben und gab es ohne Gewinn zurück (Mattäus25,14–30). »Von Menschen, denen etwas anvertraut ist, erwartet man mit Recht, dass sie sorgsam und sinnvoll damit umgehen«, sagt später Paulus im selben Sinn (1. Korinther 4,2). Aber das ist nun entscheidend: Was ist uns in diesem Sinn »anvertraut«?

Zuerst wir selbst. Alles, was uns ausmacht, ist uns anvertraut. Wir sind nicht unser eigener Besitz. Der Gedanke, der Mensch gehöre sich selbst, er sei autonom, er dürfe also mit sich selbst verfahren, wie es ihm gut dünkt, ist zutiefst gottlos. Wir haben uns nicht selbst gemacht. Wir halten uns nicht selbst am Leben. Wir haben uns unsere Fähigkeiten nicht selbst gegeben. Wir haben unser Schicksal nicht selbst gewählt. Der Ertrag unseres Lebens wird zeigen, wie verantwortlich wir mit uns Anvertrautem umgegangen sind. Ob wir es für uns selbst verbraucht oder es in das lebendige Wechselspiel unseres Daseins eingebracht haben. Ein gut Teil des menschlichen Nachdenkens bis hin zu den großen Philosophien besteht ja darin, dass gezeigt wird, wie frei wir seien, wie unabhängig, wie selbstverständlich uns das Recht zustehe, uns selbst zu bestimmen. Nach der Bibel aber sind wir von Gott mit einem »Namen« versehen. Er hat uns als Wesen geschaffen, die empfangen und weitergeben. Wesen im Austausch. Als Wesen, denen am Ende die Zielfrage gestellt werden wird, was sie während ihres Lebens weitergaben und was sie am Ende zurückerstatten können.

Nun ist uns auch jeder Mensch, mit dem wir umgehen, anvertraut. Für kürzere oder längere Zeit. Es mag der Nachbar sein oder ein Mensch am anderen Ende der Erde. Der Konkurrent. Der Partner. Das eigene Kind. Sie alle stehen uns nicht zur Verfügung und sie werden niemals zu unserem Besitz. Wer fern steht, ist möglicherweise auf das angewiesen, was wir für ihn und mit ihm tun. Wer uns nahe steht, etwa der oder die Geliebte, hat sich uns anvertraut, und wir werden mit ihm so umgehen, wie man mit etwas Kostbarem umgeht. So nämlich, dass seine Freiheit, sein Leben, sein Glück, sein Vertrauen, die alle immer in Gefahr sind, geschützt bleiben. Wer einen anderen Menschen liebt, gibt sich in seine Hand. Er macht sich selbst in hohem Grade verletzlich, und er muss darauf vertrauen können, dass der Andere seine Wehrlosigkeit und Offenheit vor fremden Zugriff bewahrt.

In Wahrheit ist alles, was wir besitzen, benutzen oder neu schaffen, uns anvertraut, zum Beispiel, wie die Geschichten Jesu es schildern, das Geld. Im Grunde kann ich nie sagen, mein Geld sei mein Geld, mein Grundstück sei mein Grundstück. Auf welche Weise kam es denn zu mir? Durch meine besonderen Fähigkeiten vielleicht. Aber die habe ich mir doch wohl nicht selbst gegeben! Durch meine Willenskraft? Aber woher habe ich die? An »meinem Geld« wird am Ende nicht wichtig sein, wie viel ich gewonnen oder verdient habe, sondern wie ich mit ihm umgegangen bin. Ob es nur mich selbst stärker gemacht hat oder ob ich es dorthin lenken konnte, wo es Leben stiften, stärken und schützen konnte. Und wie steht es mit den tausend Dingen des täglichen Umgangs? Sind sie Verbrauchsmaterial, das ich am Ende wegwerfe? Wie viel Wert haben sie noch, wenn sie für mich wertlos geworden sind? Sie waren mir anvertraut, das aber heißt: Sie werden am Ende nicht einfach Müll.

Helfe ich ihnen, in den lebendigen Kreislauf der natürlichen Zusammenhänge zurückzukehren? Anders gefragt: Weiß ich noch, was Raub ist? Zerstörung? Raubbau? Plünderung, Ausbeutung, Veruntreuung?

Heute können wir es genauer wissen als frühere Generationen: Diese ganze Erde ist uns anvertraut. Wenn mir ein paar Quadratmeter Erde anvertraut sind, so ist damit die Frage an mich gerichtet: In welchem Zustand willst du dieses kleine Stück Erde am Ende aus der Hand geben, als Trümmerfeld, als Müllplatz? Es ist neu, dass uns das aufgeht. Die Erde ist angewiesen auf unsere Achtsamkeit und muss geschützt werden vor Besitzgier und Machtrausch. Ich sehe in sehr dunklen Stunden den Tag kommen, an dem die ausgebeutete, um ihr Leben gebrachte Erde das arrogante Menschengeschlecht nicht mehr am Leben halten kann. Aber das können wir inzwischen wissen: Die Erde ist nicht die Sache »Natur«, sie ist ein lebendiges Wesen, unserer Sorgfalt anvertraut.

Es mag uns befremden, wie zentral Jesus der Umgang mit Geld als Gleichnis für den Sinn und Auftrag des Menschenlebens dient, wie oft er spirituelle Sachverhalte in der Gleichnissprache des Darlehensgeschäfts dargestellt hat. »Wer hat, dem wird gegeben«, sagt er. »Legt euren Besitz auf eine Weise an, die ihn erhält.« »Schafft euch ein Vermögen, das nicht verrottet oder gestohlen werden kann.« Er lobt einen windigen Verwalter, der es verstand, aus einer ausweglosen Situation sich mit Maßnahmen hart an der Grenze des Legalen zu befreien (Lukas 16,8 ff.). Es hat durchaus seinen Sinn, wenn Christen heute fordern, die Schulden, die den armen Ländern ihre Freiheit nehmen, nicht einzutreiben. Wir könnten im Sinne des Vaterunsers als Europäer so beten: »Hilf uns, dass uns unsere Staatsschulden nicht auffressen, wie wir den ärmsten Völkern dieser Erde helfen, von ihren Schulden nicht aufgefressen zu werden.« Es hat schon seine Stimmigkeit, wenn ein afrikanischer Politiker gesagt hat: »Wir vergeben den Europäern die Kolonialzeit und ihre Folgen und erwarten dafür den Erlass unserer Schulden.« Schuldenerlass in diesem Sinn ist heute ein Thema für jede ernsthafte christliche Politik.

Beim Thema Schuld sind drei Überlegungen zu berücksichtigen. Die erste: Geschehene Schuld kann nicht einfach aus der Welt geschafft werden. Sie legt die Beteiligten fest. Sie ist ein Stück ihrer Wirklichkeit geworden. Jede Treulosigkeit in dem beschriebenen Sinn hat die Eigenart, in uns selbst eine Spur zu hinterlassen. Unsere eigene Seele verödet dabei. Wir glauben noch an unsere Zukunft und bleiben dabei in uns selbst blockiert. Wir glauben an das Werk, das wir tun, und haben dabei die Hände nicht frei. Die zweite: Damit das deutlich werden kann, braucht jede Gemeinschaft Menschen, die persönlich für das gerade stehen, was sie nicht selbst angerichtet haben, damit das gemeinsame Leben heil wird. Vielleicht ist dies eine besonders deutliche Aufgabe für Christen heute. Am Ende ist es das Merkmal einer christlichen Einsicht in das gemeinsame Leben, dass einer sich sagt, es gebe keinen Menschen, der ihm mehr schuldig werden könne, als er selbst ihm schulde. Denn wer in Schuld gerät, muss nicht böse sein. Wer unschuldig ist, nicht gut. Eine dritte Überlegung: Vieles, was unseren Müttern und Vätern heilig war, was sie für den Willen Gottes hielten, kann für uns eine überholte Meinung sein. Manches, was unsere Voreltern bestritten, was sie für schlecht oder böse hielten, könnte heute unser Weg und Auftrag sein. Wir können in der tiefen Ratlosigkeit, in die wir heute leicht geraten, nur zugestehen: Wir wissen es nicht, und die anderen, die vorgeben, es zu wissen, können irren. Darum nehmen wir es als unsere Aufgabe, dem anderen die Last seiner Unklarheit abzunehmen und ihm beizustehen in dem, was er tut. Und wir bitten Gott, er möge uns, was wir zwischen Gut und Böse tun, so vergeben, wie wir dem anderen vergeben, was er tut zwischen Gut und Böse und was sich unserem Urteil so ganz und gar entzieht. Denn er und seine Ratlosigkeit sind uns anvertraut.

Ich muss gestehen, dass ich selbst immer wieder große Schwierigkeiten habe, mir vorzustellen, irgendjemand sei schuldig an dem, was er getan hat. Im Grunde kann ja niemand aus dem heraustreten, was in ihm angelegt ist. Er hat die seelischen Mittel, mit denen er lebt, nicht selbst zusammengestellt. Er hat sich seine Verfassung, seine Veranlagung, sein Erbgut nicht selbst zusammengesucht. Er hat sich die Situation, in der er ein Kind war oder ein Jugendlicher, nicht selbst ausgewählt. Er hat sich die Verletzungen, die ihm sein Geschick zugefügt hat, nicht selbst beigebracht. Er hat die Menschen, mit denen er leben muss, nicht selbst ausgesucht, auch nicht die Zeitumstände, die Zeitmeinungen, die sein Verhalten mitprägen. Mir liegt es viel näher, ihn für unschuldig an seiner Schuld zu halten, als ihn anzuklagen. Ich möchte ihm keine Grundsätze, an denen er sich verging, vorhalten, ihm keine Vorwürfe machen. Ich meine nicht, ich wüsste besser, was er hätte tun sollen. Ich meine, Grundsätze hülfen überhaupt viel weniger als man immer von ihnen erwartet, und am Ende genüge ein wenig Barmherzigkeit mit dem, was einer getan hat.

Gleichwohl komme ich nicht darum herum: Ich muss mir selbst und ihm sagen: Unrecht ist Unrecht. Lieblosigkeit ist Lieblosigkeit. Gewalttätigkeit ist Gewalttätigkeit. Und ich muss sehen, dass ich, wenn ich Unrecht tue, mich selbst beschädige, die Gemeinschaft störe, das Leben der anderen dunkler mache. Und ich muss verstehen, dass Unrecht nicht vergessen, wohl aber vergeben werden kann.

Immer wieder ist, vor allem in politischen Sonntagsreden, die Rede von »christlichen Werten«. Man meint dabei in aller Regel eben die, die einem selbst wichtig sind. An dieser Stelle würde ich gerne möglichst alles erst einmal abräumen, was als solche christlichen Werte bezeichnet wird. Sehe ich genau zu, was Jesus uns als wichtigste »Werte« vorlebt oder empfiehlt, so komme ich auf zwei: Der eine ist die Liebe. Der andere ist der Verzicht auf eine Position, auf einen Status, und diesen Verzicht bezeichnen wir traditionell als Demut. Liebe ist die Grundbewegung, die von Gott her in unsere Welt hereingeht und die durch uns hindurch weitergehen soll und darf. Demut meint: Diese Liebe kommt, wenn sie von uns ausgeht, nie von oben herab. Sie geht erst ein paar Stufen tiefer, so dass sie, wenn sie dem Anderen begegnet, immer eine Stufe tiefer steht als der Andere. Der Verzicht auf den Status des Gerechten, dessen also, der Recht hat, der großzügig auftritt, der den anderen auf irgendeine Weise erniedrigt oder beschämt, ist der zweite Grundwert, den Jesus vertritt. Vergebe ich also, so sagt mir meine Liebe zu ihm, seine Würde sei wichtiger als die meine. Ihn freizumachen sei vordringlicher als meine eigene Freiheit zu sichern. Das Modell für diesen Verzicht auf Geltung und Selbstwahrung sieht Paulus später in dem Weg, den Jesus Christus gegangen ist:

»Haltet euch an das,
was ihr von Jesus Christus wisst:
Göttlich war er wie Gott,
aber er hielt sein Vorrecht nicht fest,
Gott gleich zu sein.
Er legte es ab, nahm die Gestalt eines Knechts an
und wurde ein Mensch unter Menschen.
Die Gestalt eines Menschen trug er.

Tief stieg er hinab bis zum Tod,
ja zum Tod am Kreuz.«
PHILIPPER 2,6FF.

Jesus ließ sich hinrichten auf die Weise, in der man Verbrecher, Rebellen, Terroristen oder Sklaven hinrichtete. Das ist ein Statusverzicht, der unser aller Kraft weit übersteigen würde, aber es ist das zentrale Muster für eine christliche Ethik. Daran führt kein Weg vorbei. Mit solchen Wertvorstellungen aber kann man nur leben, wenn man sich der Vergebung als dem Grundmuster, nach dem Gott an uns handelt, gewiss ist und gleichzeitig das Versagen aller Anderen für weniger schwerwiegend hält als das eigene.

Worauf es ankommt, ist nach dem Wort des Evangeliums das »Bleiben in der Liebe«:

»Niemand hat Gott je gesehen.
Wenn wir einander lieben,
so bleibt Gott in uns,
und seine Liebe vollendet sich in uns.«
1. JOHANNES 4,12

Oder:

»Gott ist Liebe, und wer in der Liebe bleibt,
der bleibt in Gott, und Gott bleibt in ihm.«
1. JOHANNES 4,16

In Gott sind alle Dinge eins, sagt Meister Eckhart. Wer also liebt, der tritt in einen Raum ein, in dem auch wir Menschen eins sein können:

»In der Liebe zu bleiben,
bedeutet Einlass zu finden in den Bezirk,
in dem alle Dinge eins sind.«

Vergebung meint also: Der ursprüngliche Zustand, der des Vertrauens und der Zuneigung, der Freundlichkeit und des Friedens stellt sich wieder ein. In einer Ehe heißt das zurückkehren in die ursprüngliche Liebesgeschichte. Es heißt, einen Anderen von Tag zu Tag freizugeben, ohne ihn loszulassen. Es heißt, sagen: Sei für diesen Tag und alle, die folgen, ein unbelasteter, fröhlicher, auch von Vorwürfen von mir oder von Selbstvorwürfen freier Mensch. Was viele Liebende heute nicht mehr zu wissen scheinen, ist die Tatsache, dass eine anfangende Liebesgeschichte so gut wie nie zwischen Menschen stattfindet, die einander kennen. Das Erwachen einer Liebe geschieht in der Regel in einem verzauberten Zustand, wie der Traum ihn spielt. Diese Verzauberung schwindet allmählich oder plötzlich, und es beginnt die Phase der Verwunderung: Du bist ja ganz anders! Es beginnt eine Zeit der Enttäuschung, der Empfindlichkeit, des Gekränktseins. Und da kommt es darauf an, sich mit dem neu zu verbinden, was und wie der Andere wirklich ist. Es gilt sozusagen, ihm seine Wirklichkeit zu vergeben. Ohne solche Neuanfänge wird eine Ehe kaum gelingen. Und manchmal ist das Bild von der »Auferstehung« noch genauer als das des »Neuanfangs«, das Aufstehen nämlich aus dem Ende einer Liebe zum neuen Lieben.

Dazu sagt uns Jesus, wir sollten vergeben »und zwar von Herzen« (Mattäus 18,35). Wir wissen doch: Das Herz ist tief. Man kommt ihm kaum auf den Grund. Es könnte ja sein, dass es verzeiht unter dem Vorbehalt: Das will ich noch verzeihen, aber es darf nichts mehr dazukommen. Oder es könnte sein, dass es zwar verzeiht, aber insgeheim darauf hofft, es werde sich bestätigen, dass der andere der Verzeihung nicht wert war. Oder es könnte sein, dass es zwar verzeiht, aber dass dort, wo der Vorwurf gewesen war, die Verachtung einzieht. Von Herzen – das hieße dann: ohne Hintergedanken, ohne Tricks, ohne Rechthaberei. Aber wie schon gesagt: Wenn ich nun das Vaterunser spreche, dann muss ich eigentlich sagen: Nein, Vater, das kann nicht das Maß sein. Vergib uns unsere Schuld, auch wenn wir selbst hundertfältig unfähig sind zu vergeben. Vergib uns unendlich geduldiger, als wir dem zu vergeben vermögen, der an uns schuldig geworden ist

Denn wie steht es mit dem »Wie«, das so gefährlich in der fünften Bitte steht? »Vergib uns unsere Schuld, wie auch wir vergeben denen, die an uns schuldig werden.« Es ist ja die einzige Stelle im Vaterunser, an der wir die Erfüllung unserer Bitte an unser eigenes Verhalten knüpfen. Wir sagen da, und es kann einem schon der Atem dabei stocken: Wer nicht verzeihen will, kann nicht glaubwürdig um Verzeihung bitten. Wie großzügig aber vergeben wir tatsächlich? Wir rechnen einander vor, privat und öffentlich: Das hast du getan! Wir verbringen unsere Tage mit Urteilen und Verurteilen, mit Strafen, Vergelten und Nachtragen. Wir leben von der Güte Gottes und von der Liebe anderer und isolieren uns von beiden mit unseren Unschuldsbeteuerungen und unseren moralischen Vorwürfen.

Und wir können wissen, dass uns eine derart reine Freundlichkeit gegenüber allen Gegnern und allen, die uns schaden wollen, niemals gelingen wird. Bitten wir mit diesem Satz nicht darum, Gott möge uns so wenig verzeihen, wie es uns gelingen mag? Ich bin fast gezwungen, das Vaterunser an dieser Stelle umzukehren. Ich möchte sagen: »Wie du, Gott, uns unsere Schuld vergibst, so hilf uns vergeben denen, die an uns schuldig werden.« Wir wissen: Kein Heiliger ist ohne Vergangenheit. Kein Verbrecher ist ohne Zukunft. Hilf uns lieben! Und hilf uns vergeben, wie du uns – so bitten wir dich – vergibst und vergeben wirst! So würde die Bitte erträglich und die Grundlage für ein menschliches Leben auf dieser Erde.

Eine Hand festhalten

»Führe uns nicht in Versuchung.« Mit dieser Bitte stehen wir am Rand eines Abgrunds. Wir bitten Gott: Führe uns nicht in die Gefahr des Scheiterns! Führe uns nicht in den Unglauben! Führe uns nicht in die Gefahr, dich und deine Liebe zu verlieren! Führe uns nicht in die Gefahr, von dir verlassen zu sein! Wir werden dabei freilich mit unserem Nachdenken und mit all unserer Klugheit gegen die Wand fahren: Also ist es Gott, der alles veranlasst, der das Unheil verhängt oder nicht verhängt und der, so sagt die Bitte, was er tun könnte, nicht tun sollte.

Wieder ist nicht eindeutig, was die Bitte sagen will. Sagen wir »führe uns nicht ... «, so ist es zweifellos Gott, der uns in Versuchung führen kann und es nicht tun soll, der also die Situation der Gefahr samt ihrem guten oder bösen Ausgang verantwortet. Sagen wir, was ebenso korrekt übersetzt wäre: »Lass nicht zu, dass wir in Versuchung geraten«, so ist Gott immer noch der, in dessen Macht es liegt, zu entscheiden, ob diese seltsame, fremde Macht, genannt Versuchung, uns angreift oder nicht. Und was für eine Macht steht denn gegen uns? Wenn sie böse sein sollte, in welchem Verhältnis steht sie zu Gott? Ist sie in ihm selbst zu Hause? Sagen wir freilich am Ende »Dein ist das Reich und die Kraft und die Herrlichkeit« und schreiben damit alle Macht Gott selbst zu, dann ist er es tatsächlich selbst, der die Versuchung bereitstellt und uns Menschen in sie hineinführt.

Es ist dann tatsächlich so, wie der Harfenspieler in Goethes »Wilhelm Meister« sagt, der das Wort Gott vermeidet und statt dessen von den Mächten des Schicksals spricht:

»Ihr führt ins Leben uns hinein,
ihr lasst den Armen schuldig werden,
dann überlasst ihr ihn der Pein,
denn alle Schuld rächt sich auf Erden.«

In Gott ist dann alles Licht und alle Dunkelheit. Gott schafft die Versuchung, liefert uns an sie aus und bleibt uns am Ende die Kräfte schuldig, die wir nötig hätten, um zu widerstehen. Dann liegt alle Entscheidung bei Gott, und alle Folgen unseres menschlichen Fehlverhaltens gehen zu Lasten Gottes selbst und Gottes allein.

Wir kommen hier wie in vielen Fragen des Glaubens an den immer gleichen Punkt, an dem wir verstehen: Wir wissen nichts. Unsere Erklärungen helfen nichts. Der Widerspruch bleibt. Und wir können uns nur an die Hoffnung halten, die Widersprüche würden in Gott selbst sich lösen, wenn wir eines Tages aus der Zone unseres menschlichen Nachdenkens hinüberwechseln werden zu Gott. Jesus selbst gibt keine Erklärung. Er bittet für uns um Beistand und Schutz, um Gottes Geduld mit unserer Schwachheit und um Gottes Kraft und Weisheit für unsere gefährlichen Entscheidungen. Wenn du Gott nicht verstehst, sagt Jesus, dann sage zu dem rätselhaften Gott: Vater!

Und wie steht es mit dem eigentlichen Schlüsselwort, der »Versuchung«? Wovon spricht es? Wir können es in Deutsch wiedergeben als »Prüfung«. Es meint dann, wir werden auf die Probe gestellt, damit sich herausstellt, wie frei wir von unseren eigenen Wünschen und Interessen seien und wie klar wir unser Handeln nach Gottes Willen ausrichten. In der Versuchung wird also unser Gehorsam, unser Glaube geprüft. Wir können das Wort »Versuchung« aber auch deuten als »Bedrängnis«, »Leiden«. Dann meint die Bitte, wir möchten nicht in eine Not geraten, in der wir mit unserem Glauben scheitern müssten, in der wir unser Vertrauen verlören. Auf einer dritten Ebene kann Versuchung auch die tiefe Verzweiflung beschreiben, in der wir versinken könnten, wenn uns aus der Dunkelheit unserer Situation statt eines väterlichen Gottes die Fratze eines Teufels anstarrte, der vielleicht Gott selbst wäre. So beschrieb Martin Luther seine eigene Erfahrung mit einem solchen verzerrten Gesicht Gottes als »Anfechtung«, als Angriff also, dem er nichts entgegenzusetzen hatte als nur sein Tintenfass, das er in das teuflische Gesicht Gottes schleuderte.

Gemeinsam ist den drei Deutungen, dass der betroffene Mensch wenig oder keine Aussicht hat, diesen Angriff abzuwehren. Auch hier stehen wir wieder in jener Landschaft der aussichtslosen Widersprüche, in jenem Irrgarten, aus dem wir keinen Weg ins Freie finden.

Was ist denn diese »Versuchung«, von der wir ja auch sehr allgemein reden, mit Sicherheit nicht? Sie ist zunächst einmal genau das nicht, was uns sofort einfällt. Sie ist nicht der Zigarettenautomat an der Ecke. Nicht die schöne Nachbarin. Nicht der Schokoladenladen. Solcherlei Versuchungen gegenüber dürfen wir, ehe wir Gott um seine Hilfe bitten, erst einmal unsere eigene Einsicht und Willenskraft aufrufen. Sie besteht auch nicht in den wirklich schönen Dingen, die uns wichtig sind und die uns vielleicht dadurch in die Irre führen, dass sie uns allzu wichtig werden. Sie meint nicht, was uns blind macht, was unsere Sinne verwirrt, nicht die kleinen und großen Süchte und Leidenschaften, denen wir verfallen könnten. Die Versuchung, von der Jesus spricht und vor der uns Gott bewahren möge, ist so, dass wir sie mit unserer eigenen Kraft nicht bestehen werden.

Ein Mensch, über den eine wirkliche Versuchung kommt, wird vielleicht so oder ähnlich reden: »Ich schaue mir die Welt an und was in ihr täglich geschieht. Ich sehe nur Gewalttat, Unrecht, Gemeinheit, Niedertracht. Das Böse ist allgegenwärtig und übermächtig. Niemand hat ihm irgendetwas entgegenzusetzen außer leeren Worten. Wer für das ›Gute‹ kämpft, tut es, weil es ihm nützt. Die Gewalt ist alles, und sie hat Recht. Es wird so unendlich viel und täglich und überall schamlos gelogen, gefälscht und getäuscht. Wenn einer die Wahrheit sagt, ist das nur seine Weise, mitzulügen. Es gibt wohl keine Wahrheit. Fast jedes Verbrechen geschieht hinter einer moralischen Fassade, für jede Gewalttat steht eine Verharmlosung bereit, die die Wahrheit auslöscht. Alle Kriege beginnen mit Lügen. Alle Siege werden mit Lügen gefeiert. Gerechtigkeit ist ein Wort. Es gibt sie nicht. Ich sehe unendlich viel Leiden und Elend, Schmerzen und Ängste. Das Dasein ist eine einzige Fühllosigkeit dem Leid gegenüber. Das Glück ist nur wenigen vorbehalten und auch ihnen nur für kurze Augenblicke. Es gibt kein Glück, vielleicht deshalb, weil es keinen Sinn gibt. Am Ende wird immer der Tod das letzte Wort haben. Und einen Gott, der wahrnimmt, was geschieht, gibt es wohl überhaupt nicht. Wenn er es aber sehen sollte, dann will er es wohl nicht sehen. Wozu soll ich für irgendetwas eintreten?«

Ein Mensch, den eine Versuchung anfällt, könnte etwa so weiter reden: »Was hat man sich unter Philosophen und Dichtern und anderen Träumern schon an erhabenen Bildern vom Menschen zurecht gemacht! Von seinem großen Geist. Von seiner herrlichen Freiheit. Von der Krone seiner Würde, die sogar unantastbar sein soll. Oder er selbst sei recht eigentlich eine Krone, nämlich die Krone der Schöpfung. ›Edel sei der Mensch, hilfreich und gut‹, haben wir gelernt. Dass ich nicht lache! Der Mensch ist ein Raubtier, dazu das schlimmste, das die Welt hat. Soll ich an die Menschen glauben? Man hat schon gesagt, nach Auschwitz könne man nicht mehr an Gott glauben. Aber an den Menschen glaubt man weiterhin. Der Mensch ist ein Fresser, und all seine Kultur dient nur dazu, das allgemeine Fressen ästhetischer zu gestalten. Der Mensch ist ein Ausbeuter. Der Zustand unserer Erde ist der tägliche und erdrückende Beweis. Wann wird der Mensch ›hilfreich und gut‹? Wenn er zu schwach wird, um noch als Raubtier zu leben. Und dann ist er immer noch das zahnlose Raubtier. Die großen Namen der Menschheit schmelzen mir unter den Augen dahin, sobald die wirklichen Menschen in ihnen sichtbar werden. Nein, an die Menschen kann ich nicht länger glauben.«

Wer in die wirkliche Versuchung gerät, kann seine eigenen Klagen so abschließen: »Wie steht es denn mit mir selbst? Hat es einen besonderen Sinn, dass es mich gibt? Bringe ich etwas Besseres in die Weltgeschichte ein als alle anderen? Wohl kaum. Ich bestehe ja die Probe selbst nicht. Die Probe auf die Wahrheit zum Beispiel. Was ist denn wohl das Maß an Wahrheit, das ich in die allgemeine Szene einbringe? Oder die Probe auf die Gerechtigkeit? Wenn ich mich ehrlich prüfe, dann kämpfe ich für die Gerechtigkeit, weil mein eigenes Recht mir so wichtig ist. Was habe ich der allgemeinen Gleichgültigkeit entgegen zu setzen, da mir doch diese ganze Welt je länger je gleichgültiger wird? Ist es mir nicht, wenn ich ehrlich bin, am Ende auch gleichgültig, was aus dem lebenshungrigen Menschen, der ich bin, zuletzt wird? Die Menschheit ist wert abgeschafft zu werden. Ich bin es auch.«

Martin Luther hat völlig Recht, wenn er sagt: Was ich vor mir sehe, ist der »altböse Feind«. Der will, dass an die Stelle des Glaubens innere Stumpfheit tritt. Er will, dass ein Mensch, der beten möchte, das Vertrauen verliert, das Gebet habe irgendeinen Sinn. Gott? Wenn ich heute zu ihm spreche, dann höre ich viele Stimmen, die mir sagen: Gott ist tot. Vielleicht ist er es. Und dabei bleibt mir in meinen besten Stunden nur der Notschrei, es möge ihn geben.

»Führe mich nicht in Versuchung«, sage ich. Bewahre mich davor, dass ich mich in dieser Welt einrichte und mich mit allem abfinde. Bewahre mich davor, an der Fühllosigkeit des Geschehens zu verzweifeln und mir einen Weg zu suchen, der mich, blind, wie ich bin, um meine Angst herumführen soll. Führe mich nicht in die Versuchung, für illusionär zu halten, was ich glauben möchte, und in der einsamen Zelle, in der ich lebe, zu versinken. Woher soll ich wissen, wenn es dich nicht gibt, wie ich irgendetwas in der Welt noch verstehen soll?

Wer in die wirkliche Versuchung gerät, kann auch in der Gefahr versinken, die Hoffnung auf irgendeine Zukunft auszulöschen. Als Jesus mit den Menschen in den galiläischen Dörfern sprach, erwarteten viele, dass der Untergang der Welt nahe bevorstehe. In einem Gespräch mit seinen Freunden im Anblick Jerusalems spricht Jesus von der Zukunft, in der die Geschichte der Menschheit zu Ende gehen werde:

»In jenen Tagen wird eine Bedrängnis sein,
wie sie nie gewesen ist seit dem Anfang der
Schöpfung ...
Die Sonne wird sich verfinstern
und der Mond seinen Schein verlieren ...
Seht euch vor! Seid wach! Ihr wisst die Zeit nicht,
zu der all dies geschieht.«
MARKUS 13,19.33

Von diesem Ende der Zeit, dem katastrophalen Ausgang der Menschengeschichte auf dieser Erde, spricht danach auch die Offenbarung des Johannes in einem Brief an eine Gemeinde:

»Ich habe dich aufgefordert, geduldig zu sein,
und du hast meinen Ruf befolgt.
Darum will auch ich dich bewahren
in der Stunde der Versuchung.
Denn sie wird hereinbrechen über den ganzen Erdkreis
und die in Versuchung führen,
die ihn bewohnen.«

OFFENBARUNG 3,10

Hier zeigt das Wort von der Versuchung seinen genauesten Sinn. Es will sagen: Wenn die Welt vergeht, wenn die großen Katastrophen der letzen Zeit über uns hereinbrechen, wenn in unendlichem Leiden und Sterben die Schönheit dieser Erde zugrundegeht, wenn wir abstürzen in einen Abgrund von Schrecken und Grauen, dann, Gott, halte uns fest. Denn dann begegnet uns die letzte Gefahr, die nämlich, dass wir unseren Glauben wegwerfen, unser Vertrauen. Dass wir dir absagen, dir fluchen, wie alles um uns her dir fluchen wird. Führe uns nicht in diese Situation, oder gib uns die Kraft, sie zu bestehen. Wenn das geschieht, dann lass uns nicht los. Verlass uns nicht.

Inzwischen, das heißt in den 2000 Jahren christlicher Geschichte, haben wir uns beruhigt, vor allem mit dem Gedanken, es habe sich bei dieser Erwartung des Weltendes um einen kalendarischen Irrtum jener Zeit gehandelt. Aber heute ist der Untergang der Menschengeschichte auf dieser Erde eine akutere Gefahr als er es je gewesen ist. Er könnte uns wirklich bevorstehen. Die technische oder die ökologische Endkatastrophe, die sich über kürzere oder längere Zeiträume hinweg allmählich einzustellen scheint, können wir sehen. Was aber wollen wir mit unserem landläufigen »christlichen Glauben« noch anfangen, wenn jenes alles

Maß sprengende Leiden von Mensch und Tier und die Vernichtung von allem Schönen und Kostbaren einsetzt, sei es in der Gestalt der Verödung unserer Erde, sei es in einem atomaren Winter? »Führe uns nicht in Versuchung«, das heißt in seiner zugespitztesten Form: Wenn uns nur noch die Verzweiflung bleibt, dann lass uns nicht los. Lass uns nicht fallen! Wir brauchen deine Hand!

Von den bretonischen Fischern gibt es ein kurzes Gebet, in dem sie um die rettende Nähe Gottes bitten:

»Herr, gib Acht auf uns,
denn das Meer ist so groß,
und unser Boot ist so klein.«

Die Gegenkraft, die uns in unserer Resignation gegeben ist, ist die zweite Bitte: die Bitte um das Kommen des Reiches. Wir halten fest, dass dieses Reich sich anbahnt auf dieser Erde mit unserem Glauben und unserer Tatkraft, wie auch mit der Hoffnung, dass es das eigentliche Ziel ist, auf das unsere Welt zugeht. Wenn die Bitte »führe uns nicht in Versuchung« sinnvoll bleiben soll, so sollte danach die Bitte anschließen, Gott möge sein Reich herausführen aus dem Abgrund der Menschengeschichte. Die Hoffnung, unser irdischer Wille werde eins sein mit dem Willen Gottes. Von diesem erhofften und erbetenen Ziel aus findet das ganze Gebet, das Jesus uns gab, Sinn und Gestalt.

Und vielleicht sprechen wir am Ende mit, was die Bibel uns vorspricht:

»Wenn du Gott dienen willst,
dann mache dein Herz bereit auf die Stunde,
in der du meinst, du habest Gott verloren.
Mache dein Herz fest

und habe einen langen Atem.
Verzweifle nicht zu schnell,
wenn du dich verstoßen glaubst.
Halte dich fest an Gott und lass ihn nicht los,
damit du am Ende immer fester stehst.«
JESUS SIRACH 2,1–3

Und wir fügen an: Das glauben wir, dass wir von dir, Gott, was immer geschehen mag, festgehalten sind. Das ist unser Trost und unsere einzige Hoffnung.

Der innerste Kern dessen, was wir Versuchung nennen, ist unsere Verlassenheit in unserem gefährdeten Leben, wie sie die irischen Seefahrer vor tausend Jahren erlebten, als Cormac so betete:

»Willst du meine brüchige schwarze Barke
steuern
über die Gischt des dunklen, weiten Ozeans?

Willst du, Herr, in mein Boot kommen,
in dem auf See mein Wille sonst irrte?

Denn du bist es, der festlegt,
wann das Leben eines Menschen endet,
dem Regen gleich.

Gott, gewähre mir deine Hilfe,
der du über das aufschäumende Meer kommst!«

Ein Notschrei an der Grenze

Noch eine Bitte haben wir vor uns, die ein ähnlicher Notschrei ist wie der, den wir eben bedachten: »Erlöse uns von dem Bösen!« Und wieder zeigt sich, dass dieses Wort das »Böse« in vielen Farben schillert. Der Grund für alle die verschiedenen Bedeutungen der Worte, die uns begegnet sind, ist der, dass alle Wahrheit, die das vielschichtige Leben des Menschen und seiner Welt deuten will, auf mehreren Ebenen spielt. Denn das Menschenleben hat Höhen und Untergründe, die wir mit immer wieder anderen Worten und Bildern beschreiben müssen. Was allzu einfach sein will, kann nicht die ganze Wahrheit sein. So kann das Wort heißen: Erlöse uns von dem Übel. Oder: Erlöse uns von allem was böse ist. Oder: Erlöse uns von der Macht jenes dunklen Gegengottes, den wir den Satan nennen.

Sprechen wir nun zunächst vom »Übel«, so meinen wir Krankheit, Schwäche, Unglück, Elend, Leiden, Armut, Schmerzen, alles auch, was Leiden verursacht, etwa Kränkung, Störung, Beeinträchtigung, am Ende den Tod. Alles also, was das Leben schwächt, das Glück stört, das Gelingen hindert.

Nun können wir sagen: das Übel muss nicht sein. Wir Menschen sind aufgerufen, es zu beseitigen. Krankheit kann geheilt, Hunger gestillt, Krieg vermieden werden. Man muss nur forschen, arbeiten, planen und herausfinden, was dem abhilft. Dabei freilich wird man in den meisten Fällen an der Tatsache scheitern, dass Ungerechtigkeit, Gewalt, Ausbeutung, oft auch Krankheit und Schmerzen, ihre Ursache nicht »draußen« haben, wo man sie antrifft, sondern vor allem in uns selbst.

Wir können auch sagen: Die Übel gehören zum Dasein. Wo Licht ist, ist auch Schatten. Das liegt in der Natur der Dinge. Ein Leben in Frieden, Freude und Eierkuchen ist weder realistisch noch wünschenswert. Wir können, das wäre eine dritte Möglichkeit, auch sagen: Der Kampf gegen die Übel ist das, was uns rettet, nicht eigentlich ihre Beseitigung. Helden müssen sein. Der Kampf ums Dasein muss ausgetragen werden mit allen Nachteilen für den, der unterliegt. Das Edle kann sich nur erheben, wenn es sich aus dem Sieg der Starken und der Guten erhebt. Wir können zum Vierten sagen: Die Welt ist nun einmal wie sie ist. Das Leben ist gemischt. Der Kampf gegen das Übel ist sinnlos. Man muss damit leben. Der Realist findet sich ab. Verbesserung der Verhältnisse, Durchsetzung eines allerseits befriedigenden Lebens sind Illusionen, die uns in Verwirrung führen.

Wenn wir Jesus fragen, dann finden wir alle diese Gedanken bei ihm wieder. Er hat nicht gesagt, Krankheit müsse sein, sondern hat kranke Menschen geheilt. Er hat, wo immer sich Widerstand erhob, gekämpft. Er war auf der anderen Seite am Ende bereit, für sich selbst das ihm vorgezeichnete Leiden zu übernehmen. Er war nicht der Pessimist, der das Unglück als gegeben hinnahm. Er war aber auch nicht der Held, der den tragischen Untergang sucht, auch kein Philosoph, der das Elend der Menschen aus der sicheren Ecke heraus betrachtet. Er deckte vielmehr die Gründe auf, aus denen das Übel, das Leid und die Friedlosigkeit hervorgehen, und zeigte Wege ins Freie. Und er zeigte den Menschen, wie sie selbst damit umgehen könnten.

Nun bedeutet das Wort aber nicht eigentlich das »Übel«, sondern »das Böse« oder »den Bösen«. Wenn wir vom Bösen sprechen, dann meinen wir eine anonyme Macht, die hinter Leid und Elend in der Welt am Werk ist, sie will und verursacht. Jene Macht auch, die in uns selbst und in allen Menschen ist, als Meinung, als ideologische Verirrung, als Sachzwang auch, als Denkzwang, auch als Naturnotwendigkeit entschuldigt, als psychisches Trauma markiert. Die Macht, die den Streit und die Unordnung schafft, das Leiden, den Hass. Dann heißt »Erlöse uns vom Bösen«: Hole uns heraus aus den Zwängen, die uns wie Gefängnisse einschließen, aus dem Kerker des Zwangs zu Gewalt, Lüge, Rücksichtslosigkeit. Aus dem Zwang, immerfort entschuldigen zu müssen, was wir tun. Wer seine Verstrickung in das Böse leugnen will, verliert die Wahrheit.

Dieser Zwang und diese Gefährdung, diese Bedrohung und diese Unwahrheit spitzen sich aber noch einmal zu, wenn wir die andere Möglichkeit erwägen, nämlich nicht »das Böse«, sondern »den Bösen« ins Auge zu fassen. Ob wir aber an eine anonyme Macht glauben oder eine persönliche, einen Satan oder einen Teufel, Tatsache ist, dass uns das Leben in einen Kampf hineinstellt, in dem wir uns zu bewähren haben. Wahr ist der »agonale Grundcharakter unseres Daseins«, wie man schon gesagt hat. Das Leben ist kein Spaziergang, es ist ein Kampf. Der »Agon« ist ein Wettkampf, bei dem sich zeigen muss, wessen wir fähig sind. So spricht zum Beispiel Paulus von ihm. »Agon« meint aber auch die kämpferische Begegnung mit einem Feind, bei der es um Tod und Leben geht. Unser Leben ist ein Kampf, den wir gegen den Bösen, den Schatten, den Lügner in uns selbst führen. Es ist ein Kampf unseres Glaubens gegen die Wirrnis und um die Wahrheit. Dieser Kampf aber, der von Niederlagen aller Art gekennzeichnet ist, dieser »Agon« endet in der »Agonie«, im Todeskampf, der immer und grundsätzlich verloren wird.

Das zentrale Problem unseres Umgangs sowohl mit dem Übel als auch mit dem Bösen ist dies, dass beides seine Ursache immer wieder in uns selbst hat. Es ist ja leicht, für Gerechtigkeit zu demonstrieren, aber unendlich schwer, es auf eine gerechte Weise zu tun. Es ist leicht, für den Frieden auf die Straße zu gehen, aber unendlich schwer, es ohne den Hass zu tun, aus dem die Kriege zu kommen pflegen. Es ist leicht, die Wahrheit auf seine Fahne zu schreiben, und sehr schwer, mit seinen Kampfrufen bei der Wahrheit zu bleiben. Denn wir haben nie nur Feinde vor uns, auch wenn unser Kampf sich gegen das Böse richtet. Der Feind vor uns weckt immer auch den Feind in uns selbst.

»Erlöse uns von dem Bösen«, sagen wir. Am Anfang dieser Bitte steht die Einsicht, wie ausbruchsicher das Gefängnis ist, das uns festhält. Wir möchten glauben und leben doch, als gebe es keine Wahrheit. Wir möchten lieben, und leben doch fast nur für uns selbst. Wir möchten der Wahrheit dienen und bemühen uns doch ständig, gegen alle Wahrheit selbst als wahr zu erscheinen. Aus unsere Bitte wird darum mehr als eine Bitte, es wird ein Notschrei aus ihr: Erlöse uns von uns selbst! Wir möchten uns aufrichten und die werden, die du in uns siehst. Reiße uns los von unserem schrecklichen Kleben an uns selbst und mach uns frei! Jetzt! Und danach bei unserem Schritt in die größere Welt deines Reiches!

Heile uns zuerst von unserer Blindheit uns selbst gegenüber. Wir sind in das, was wir das Böse nennen, viel heilloser verstrickt als wir immer meinen. Reiße uns also, sagt die siebte Bitte, heraus aus dem Sumpf unserer Unklarheiten. Da uns aber jeder Kampf gegen das Böse in die Illusion verstrickt, wir stünden auf der Seite des Guten oder wir seien selbst die Guten, sagt Jesus: »Gib deinen Kampf auf!« Auch der Hass gegen das Böse ist Hass. Sage, was zu sagen ist, im

Namen der Wahrheit, aber sage es auch dir selbst. Tu dich selbst mit dem Gegner so zusammen, dass ihr miteinander schreien könnt: Erlöse uns von dem Bösen in uns und von dem Bösen, dass durch unsere Hände geschieht! Wenn wir glauben, dass Gott uns erlösen kann, wenn er will, ist kein Kampf gegen das Böse mehr sinnvoll. Kein Kampf gegen irgendwelche Mächte dieser Welt. Sondern nur ein festes Stehen auf den eigenen Füßen und ein klares Sagen, was wahr ist. Es ist auch der Kirche kein Kampf gegen das Böse aufgetragen, sondern nur, in aller Wehrlosigkeit das Ihre auszusprechen.

Das erlösende Wort hat Jesus selbst gesagt: Als sein Tod seine Freunde in die Ratlosigkeit und Verzweiflung stieß, da sagte er ihnen: »An der Welt habt ihr Angst. Aber fasst Mut! Ich habe die Welt überwunden!« Was er mit »Welt« meint, das ist die Verknotung von Dingen und Ereignissen, von Ursachen und Folgen, aus der weder mit Gesinnungen noch mit Taten herauszukommen ist. Diese Welt hat er überwunden, sagt er, und wir sehen: Der Weg zu ihrer Überwindung führt über die zwei Grundwerte, die wir bei ihm ausgemacht haben: die liebende Nähe zu denen, die in diese Welt gebunden sind, und die Abwärtsbewegung, die wir Demut nennen, oder den Verzicht auf Rang und Status, also über die Verletzlichkeit des Liebenden. Hier entsteht ein neues Gewebe mitten im Geflecht des Bösen, ein schützendes, in dem zu leben möglich ist, in dem sich der Mut derer aufrichten kann, die mit Jesus seinen Weg gehen. In diesem Gewebe aus Liebe und Demut entsteht in uns der neue Mensch, an den wir glauben sollen. Nicht der edle Mensch, der »hilfreich und gut« zu sein beansprucht, sondern der Mensch, der fähig ist, das Geflecht des Bösen behutsam aufzulösen. Der Mensch, der vorauslebt über dieses kleine Leben hinaus in die neue Welt, in der sehr verletzlichen Hoffnung, Gott werde uns nach unserem Schritt über die Schwelle zum Leben umschaffen in die Gestalt wirklicher Menschen. Wir geben uns also mit unserem Ruf »Erlöse uns von dem Bösen« auf eine äußerste Weise dem anheim, was Gott mit uns und seiner Welt vorhat.

Die christlichen Mystiker haben zu allen Zeiten von der »dunklen Nacht der Seele« gesprochen.

So sagt Dag Hammarskjöld:

»Glaube ist Gottes Vereinigung mit der Seele
in einer dunklen Nacht.

Des Glaubens Nacht – so dunkel,
dass wir nicht einmal den Glauben suchen dürfen.
Es geschieht in der Getsemanenacht,
wenn die letzten Freunde schlafen,
alle anderen deinen Untergang suchen
und Gott schweigt,
dass die Vereinigung sich vollendet.«

Und es ist gerade, wenn wir von Erlösung sprechen, eine Wohltat, die Erfahrungen mitzubedenken, die von Menschen immer wieder gemacht werden, die von »Erlösung« sprechen.

So bekennt die französische Dichterin Marie Noël:

»Wenn ich mich heute umwende,
um zurückzuschauen,
so sehe ich,
wie ich durch meine traurigen Jahre,
meine geduldigen Finsternisse,

bis zum Ende immer, o mein Gott,
von deinen Händen wie eine Gelähmte
getragen wurde
auf göttlicher Straße.«

Oder Ernst Wiechert drückt seine Hoffnung so aus:

»Für jeden von uns wird die Zeit kommen,
in der es ihm in die herbstlichen Jahre
sehnlich herüberweht
und mahnend und herb und süß
ans alternde Herz rührt.

Dann wird es gut sein,
wenig versäumt und wenig vergessen zu haben
und des Kinderglaubens gewiss zu sein,
dass eine Mauer um uns gebaut sein wird,
wann immer wir ihrer bedürfen.«

Mechthild von Magdeburg schildert, was Erlösung für sie ist:

»Früher dachte ich,
ich würde dir, ehe ich beginne,
dich singend zu loben,
erst meinen ganzen Jammer klagen.

Nun habe ich dich geschaut
und bin ganz und gar verändert,
denn du hast mich
weit über mich selbst hinaus getragen.«

Und T. S. Eliot:

»Sei still,
sprach ich zu meiner Seele,
und lass das Dunkel über dich kommen!
Es wird das Dunkel Gottes sein.«

Was gilt und gelten wird

Am Ende ruft Jesus die Machtfülle und die Nähe Gottes auf, und wer sein Gebet mit ihm spricht, tut es ebenso, auf seine Weise. Wenn die Baumeister des Mittelalters die Vollkommenheit, die Ewigkeit und Heiligkeit Gottes in ihrer Einzigkeit zeigen wollten, gestalteten sie die großen Rosetten über den Portalen. So umfassend, wollten sie sagen, wie der Ring, der diese Rose umschließt, ist das Reich. So mächtig wie die Strahlen, die aus der Mitte ausbrechen und erst an diesem großen umfassenden Ring enden, ist deine Kraft. So vollendet, wie die Schönheit der Blütenblätter, die sich vor unseren Augen herausheben, ist die Schönheit, ist der Glanz Gottes. »Rühmen – das ist's!«, sagt Rainer Maria Rilke.

Dein ist das Reich! rufen wir mit unserer Rühmung. Dein ist der Ursprung der Welt. Aller Welten, die es je gab und je geben wird. Du hast uns gestaltet. Du bist der Auftrag, dem wir nachgehen. Aus dir ist alles. In dir ist unser Ort und unsere Geborgenheit. Du erfüllt alles, auch uns. Du führst alles zu seinem Ziel. Du wirst allen Mächten, die uns noch gefangen halten, ein Ende setzen. Dein wird das Reich sein. Dein ist das Reich, das sich unter uns Menschen leise anbahnt. Dein ist auch das vorausgreifende Bild deines Reichs, das anfängliche, das uns mit einander verbindet. Es entsteht, wo zwei oder drei von uns sich in deinem Namen verbinden. Wir nennen es auch die Kirche. Sie bedarf keiner Organisation, keines Rituals, keines sakralen Bauwerks, keiner wissenschaftlichen Begründung. Sie lebt aus deinem Geist. Und wir gestalten sie nach mit Gebet und Bekenntnis, mit Feier und Fest, mit Dienst und Opfer, mit Musik und Bildwerk, mit Singen und Danken. Wir kommen zusammen am Tisch deiner Gäste und nehmen vorweg, was uns am Ende aufnehmen wird: dein Reich.

Und dieses Reich ist gegenwärtig schon auf dieser Erde. Meister Eckhart zeigt es:

»Dass ein Mensch ein ruhiges
und nachdenkliches Leben in Gott hat,
das ist gut;
dass der Mensch ein
mühevolles Leben mit Gott erträgt,
das ist beser;
aber dass man Ruhe habe
mitten im mühevollen Leben,
das ist das allerbeste.
Ein Mensch gehe übers Feld
und spreche sein Gebet und erkenne Gott,
oder er sei in der Kirche und erkenne Gott.
Erkennt er darum Gott mehr,
weil er an einer ruhigen Stätte weilt,
so kommt das von seiner Unzulänglichkeit her,
nicht aber von Gottes wegen;
denn Gott ist gleicherweise
in allen Dingen und an allen Stätten.«

Das Reich und seine Gegenwart deutet Dag Hammarskjöld mit seiner schlichten Frage:

»Was bedeutet alles irdische Glück
gegen die Verheißung:
Wo ich bin, da werdet ihr auch sein.«

Das Reich ist der schützende Rahmen unseres Daseins hier und in der Ewigkeit Gottes.

Dein ist die Kraft! Alles, was wir Kraft nennen in unserem ganzen Universum, ist aus dir. Alles Gesetz, nach dem es lebt, sich bewegt, entwickelt oder auflöst, ist aus dir. Alles, was wir Materie nennen, ist deine Gegenwart. Nichts steht dir entgegen. Keine Gegenkraft. Aber wir rühmen deine Kraft nicht darum, weil sie so groß ist. Wir lieben sie, weil sie Liebe ist. Wir beugen uns vor ihr, weil sie uns meint, uns Sandkörner im Universum. Wenn uns Angst ist, weil wir so klein sind – du bist groß. Wenn wir uns fürchten ob unserer Wehrlosigkeit, du bist mächtig. Wenn wir uns als das leere Nichts erkennen, das wir in Wahrheit sind, so rühmen wir dich, weil du uns so viel von dir gibst, wie unser Herz fasst. So leben wir mitten in der Angst vertrauend, denn deine Kraft ist in uns. Du willst nicht die Kraftmenschen, die keine Furcht kennen. Aber gib uns von deiner Kraft und zeige uns dein Ziel. Denn wir haben nichts Anderes, das uns helfen könnte, und der Wind steht uns entgegen. Aber dein ist die Kraft. Die Kraft, zu leben, auch im Tode, wie sie der Mystiker Simeon aus dem 10. Jh. deutet:

»Ich kann es nie ganz mit Worten sagen.
Das wusste ich nur,
dass ich von Licht getragen wurde,
und dass mich ringsum Licht umgab,
und dass ich hingeführt wurde
zu einem großen Licht.
Gewaltig war dies Licht und wunderbar.
Nicht einmal Engel, wie ich glaube,
könnten sich gänzlich dies Licht erklären.
Eine neue Wandlung ließ es mich erkennen,
ja, gewandelt hat es mich,
mich neugestaltet, mich befreit
und gänzlich mich –
ich fühle es – dem Tod enthoben.«

Dein ist die Herrlichkeit, rühmen wir. Herrlichkeit! Das Wort spricht nicht von einem Herrn und nicht von Herrschaft. Es meint nicht die Menschenwelt, in der die »Herren« das Sagen haben. Es spricht vom »Hehren«, vom Großen, vom Heiligen. Was die Bibel mit diesem Wort meint, ist das »Gewicht«, mit dem die Wirklichkeit Gottes in der Wirklichkeit der Welt steht. Die Gewichtigkeit, mit der Gott alles erdrücken und ersticken könnte, wenn er wollte.

Was die Bibel auch meint, ist Glanz, ist Feier, ist Lichtfülle, Schönheit. Dichte des Seins. Dichte der Erscheinung. So sagt Johannes 1,14: »Wir sahen seinen Glanz, seine Lichtfülle, wie sie der zeigt, der der Sohn ist. Und in dieser Lichtfülle scheinen die Wirklichkeit, die Wahrheit und die Liebe Gottes auf.«

Wenn wir so rufen, dann sagen wir damit: Alles Dunkle in dieser Welt ist voll Licht. Auch unser eigener Tod ist ein Schritt hinüber ins Licht. Dein ist aller Zauber von Zartheit und Schönheit. Dein ist auch das Wort, das uns in den Mund gelegt ist, und seine Wahrheit. Dein ist das Gewicht, das dieses Wort in unserem Munde gewinnt. Dank dir, dass wir in deinem Feuer leben und das Unsere tun dürfen. So singen wir unser Lied mit im Gesang aller Dinge.

Reinhold Schneider sagt am Ende seines schweren Lebens:

»Das Licht ist da. Beseligt bin ich hier
und gleich dem Strauch vom Golde übergossen,
zum letzten Ja an Welt und Tod entschlossen.«

Und Dostojewski:

»Mein Leben geht zu Ende, ich weiß und fühle es.
Doch fühle ich auch mit jedem
sich neigenden Tage,
wie mein irdisches Leben mit einem neuen,
unendlichen, unbekannten,
aber schon neu heraufkommenden
Leben zusammenfließt,
dessen Vorgefühl meine zitternde, bebende Seele
mit Entzücken erfüllt.«

In Ewigkeit. Amen.
Das gilt. Das ist. Danach schauen wir aus,
Vater! Du im Himmel!
Das bleibt, auch wenn die Zeit versunken
und unser Dasein in die zeitlose Ewigkeit Gottes
eingegangen sein wird.

Unsere Zukunft ist Ewigkeit.
Wir lassen dir also alles, was uns Zukunft heißt,
unseren Willen, unsere Gedanken,
unser Pläne und Mühen und Sorgen.
Wir lassen uns dir.
Du hast uns in deiner guten Hand.
Du Vater. Du im Himmel.
Wir sind dein. Amen.